Les Animaux en 250 Questions Réponses

Les Animaux
en 250 Questions Réponses

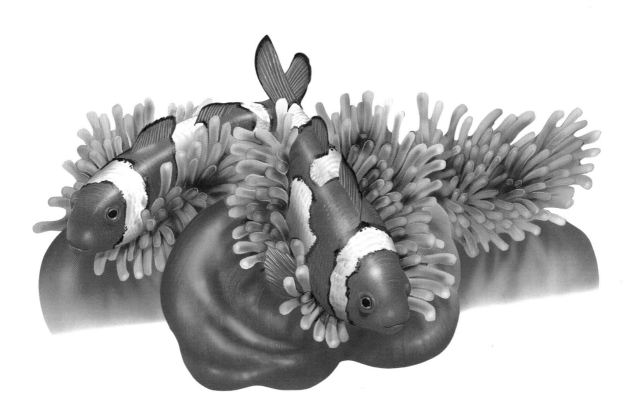

Nathan

L'édition originale de ce livre a paru sous le titre
Nature Quest, Questions and Answers about the Natural World
Chez Kingfisher Publications Plc en 2003
Copyright © Kingfisher Publications Plc 2003

Édition française
Copyright © NATHAN/VUEF 2003 pour la première édition
© NATHAN 2004 pour la présente édition
Réalisation : Italiques
Conseiller : Michel Cuisin, *attaché au Muséum national
d'Histoire naturelle de Paris*
Coordination : Véronique Herbold
avec la collaboration de Valérie Costilhes
Couverture : Cynthia Savage

N° d'éditeur 100 99 556
ISBN : 2-09-278109-X
Dépôt légal : août 2004
Imprimé en Chine

Ont collaboré à l'édition de cet ouvrage : Catherine Brereton, Carron Brown, Russell Mclean,
Jennie Morris, Jonathan Stroud, Emma Wild, Catherine Goldsmith, John Jamieson, Malcolm Parchment.
Conseillers : Norah Granger, Chris Pellant, Joyce Pope, Claire Robinson, Stephen Savage.

Illustrations : Lisa Alderson 14-15, 22-23, 36-37, 42-43, 84-85, 88-89, 136-137 ; **Graham Allen** 126-127 ; **Robin
Budden** 48-49 ; **Richard Draper** 74 *hd* ; **Chris Forsey** 56-57, 58-59, 68-69, 72-73, 72 *bg*, 74-75, 80-81, 92-93, 94-
95, 96-97, 98-99, 100-101, 132-133, 143 *hd*, 146-147 ;
Craig Greenwood 63 *cd*, 63 *hd* ; **Ray Grinaway** 10-11, 16-17, 18-19, 54-55, 76-77, 120-121, 122-123, 134-135 ;
Ian Jackson 20-21 ; **Terence Lambert** 78-79, 86-87 ; **Ruth Lindsay** 38-39, 44-45 ; **Kevin Maddison** 108-109 ;
Joannah May 12-13, 24-25, 114-115, 116-117, 118-119, 142-143, 144-145 ; **Simon Mendez** 138-139 ; **Nicki
Palin** 60-61*c*, 140-141 ; **Clive Pritchard** 144 *bg* ; **Bernard Robinson** 62-63 *bg* ; **Mike Rowe** 64-65, 104-105, 106-
107 ; **Roger Stewart** 110-111 ; **Mike Taylor** 124-125, 128-129 ; **David Wright** 52-53, 66 *bg*, 67 *cg*, 82-83, 83 *hd*.
Dessins humoristiques : Ian Dicks
Iconographie : Jane Lambert, Cee Weston-Baker
Crédits photographiques : 13 *hg* Kjell B.Sandve/www.osf.uk.com ; **19** *hg* Isaac Kehimkar/www.osf.uk.com ; **21** *tl*
Brian Bevan/Ardea London ; **23** *hd* R.J. Erwin/NHPA 1992 ;
25 *hg* James Carmichael Jr./NHPA ; **26** *hg* Harald Lange/Bruce Coleman Collection ; **33** *cd* Ingrid N.Visser/Planet
Earth Pictures ; **41** *hg* Fritz Polking/Still Pictures ; **49** *cd* Images Colour Library ;
53 *cd* Jean-Louis Le Moigne/NHPA ; **55** *cd* Z. Leszczynski/www.osf.uk.com ; **59** *hd* J. A. L. Cooke/www.osf.uk.com ;
61 *hd* Daniel Heuclin/NHPA ; **65** *cd* Martin Withers/Frank Lane Picture Agency ; **77** *hd* BBC Natural History Unit
Picture Library/William Osborn ; **78** *cg* Ardea London/
Clem Haagner ; **81** *hg* www.osf.uk.com/Daniel J. Cox ; **81** *cd* BBC Natural History Unit Picture Library/Staffan
Widstrand ; **82** *cg* NHPA/Stephen Dalton ; **85** *hd* BBC Natural History Unit Picture Library/Cindy Buxton ; **87** *hd*
NHPA/Bill Coster ; **89** *bg* NHPA/Mike Lane ; **95** *hg* NHPA/Daniel Heuchlin ; **95** *cd* Science Photo
Library/Matthew Oldfield, Scubazoo ; **96** *bg* Corbis/Tony Arruza ;
99 *hd* Corbis/Lawson Wood ; **100** *bg* NHPA/Ant Photo Library ; **102** *bg* NHPA/B. Jones & M. Shimlock ; **105** *bg*
Trevor McDonald/NHPA ; **119** *hd* M. Watson/Ardea London ; **122** *hd* Kjell Sandved/www.osf.uk.com ; **123** *hg* John
Marsh/Ardea London ; **132** *cg* Martin Harvey/NHPA ; **137** *cd* Bruce Coleman Collection ; **138** *cg* Jurgen & Christine
Sohns/Frank Lane Picture Agency ; **147** *hd* Silvestris/Frank Lane Picture Agency.
Tous les efforts ont été entrepris pour mentionner les détenteurs du copyright des photographies.
L'éditeur s'excuse pour tout oubli éventuel.

SOMMAIRE

C'est ton livre

Tu te demandes pourquoi le caméléon change de couleur ou ce qui produit la petite lumière du ver luisant? Ou encore comment poussent les lianes de la forêt vierge? Ce livre t'apportera une réponse précise à toutes tes questions, et à bien d'autres encore. Et pour en savoir encore plus, les mots en **gras** sont expliqués dans le glossaire, aux pages 149-155.

En haut de chaque double page, le logo ★ **Cherche et trouve** ★ te propose une devinette pour aiguiser ton sens de l'observation: amuse-toi à retrouver dans ces deux pages le détail reproduit au centre du cercle.

★ Cherche et trouve ★
le poisson-pierre

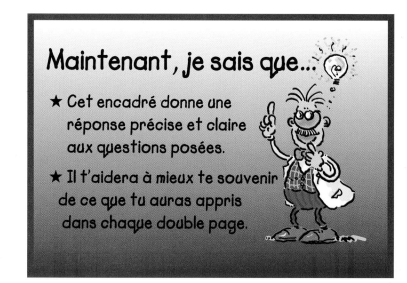

Maintenant, je sais que...

★ Cet encadré donne une réponse précise et claire aux questions posées.

★ Il t'aidera à mieux te souvenir de ce que tu auras appris dans chaque double page.

Insectes
et petites bêtes

Jim Bruce

QU'EST-CE QU'UN invertébré?

Cherche et trouve ★ la chenille

Toutes ces petites bêtes qui grimpent, rampent ou bourdonnent autour de nous ont un point commun : elles n'ont pas de **colonne vertébrale**. On les appelle donc invertébrés. Ce groupe comprend des animaux aussi différents que les insectes, les araignées, les escargots et les mille-pattes.

OÙ vivent-ils?

Les invertébrés vivent à peu près partout sur la Terre. Un seul jardin en abrite des milliers. Certains sont si petits qu'ils peuvent se glisser dans des trous minuscules et qu'ils passent inaperçus. D'autres se cachent dans des endroits sombres et humides, par exemple sous les pierres ou dans le sol.

COMBIEN sont-ils ?

Les invertébrés sont plus nombreux que tous les autres animaux réunis, et on en connaît plus de 1,5 million d'**espèces.** En fait, ils sont si divers que les scientifiques les ont classés en plusieurs catégories : les libellules et les abeilles sont des insectes, les araignées et les scorpions sont des **arachnides,** tandis que les escargots et les limaces sont des **mollusques.**

Étonnant !

Le premier animal qui a volé n'est pas un oiseau mais un insecte, voici 400 millions d'années !

Toutes sortes de petites bêtes se cachent dans les hautes herbes de la prairie. Nous allons apprendre à mieux les connaître.

Maintenant, je sais que...

★ Les invertébrés sont de petits animaux sans colonne vertébrale.

★ Ils vivent absolument partout, sur toute la Terre.

★ Il existe environ 1,5 million d'espèces d'invertébrés.

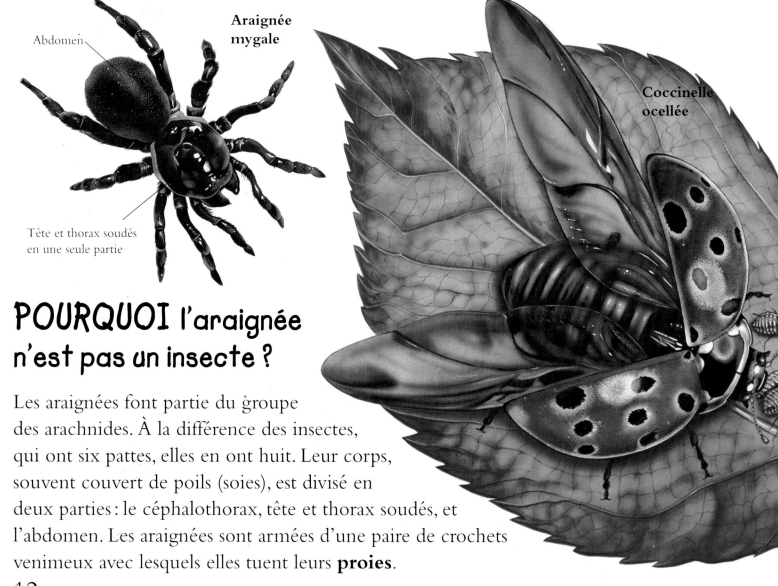

À QUOI SERT
l'armure des insectes ?

Le corps des insectes n'est pas soutenu par un squelette interne. Il est protégé par une sorte d'armure articulée, appelée **exosquelette,** qui est divisée d'avant en arrière en trois segments. À l'avant, la tête renferme le cerveau et porte les yeux, la bouche et les **antennes**. Le segment central, ou thorax, porte trois paires de pattes et, très souvent, les ailes. Le segment arrière, ou abdomen, contient l'estomac.

Abdomen

Araignée mygale

Tête et thorax soudés en une seule partie

Coccinelle ocellée

POURQUOI l'araignée
n'est pas un insecte ?

Les araignées font partie du groupe des arachnides. À la différence des insectes, qui ont six pattes, elles en ont huit. Leur corps, souvent couvert de poils (soies), est divisé en deux parties : le céphalothorax, tête et thorax soudés, et l'abdomen. Les araignées sont armées d'une paire de crochets venimeux avec lesquels elles tuent leurs **proies**.

COMMENT voient les insectes ?

La plupart des animaux ont, comme l'homme, des yeux munis d'une seule lentille.

Mais de nombreux insectes, comme la libellule et la mouche, ont des yeux composés, formés de milliers de petites facettes. Ce type d'œil ne donne pas une vision très nette, mais il perçoit le plus léger mouvement dans toutes les directions.

Étonnant !

Par les très grands froids, certains insectes fabriquent un produit chimique qui empêche leur sang de geler.

À la différence des autres animaux, les insectes ont un sang jaune ou verdâtre.

**Coccinelle
à sept points**

Tous les insectes ont des organes internes fonctionnant plus ou moins de la même manière : leurs nerfs transmettent les signaux d'un point du corps à l'autre et ils absorbent l'oxygène de l'air par de petits tuyaux appelés trachées.

Maintenant, je sais que...

★ Tous les insectes ont un exosquelette, un corps divisé en segments et 6 pattes.

★ Les araignées ont huit pattes, mais leur corps est divisé en deux parties seulement.

COMMENT grandissent les chenilles?

Une chenille et un papillon ne se ressemblent pas. Et pourtant il s'agit du même insecte à des stades de croissance différents. Chaque petite chenille deviendra un papillon. Cette profonde transformation s'appelle la **métamorphose**.

1 Les papillons femelles pondent sur des plantes qui fourniront aux chenilles la nourriture qui leur convient.

2 Dès l'éclosion, les chenilles commencent à manger. Leur croissance est rapide.

3 Lorsqu'elles ont atteint leur taille *maximum*, les chenilles s'enferment dans une **chrysalide**, où elles se transforment complètement.

4 La chrysalide se fend et il en sort un papillon qui déplie ses ailes.

Chenille de machaon mangeant une feuille

Étonnant!

En fin de croissance, certaines chenilles pèsent 2 700 fois plus qu'à la naissance !

Il arrive que les papillons s'enivrent avec des fruits pourris dont le jus contient de l'alcool !

Bien que les chenilles aient pour la plupart douze yeux, leur vue est faible et elles perçoivent tout juste la différence entre la nuit et le jour. D'autres chenilles n'ont pas d'yeux du tout et se dirigent par le toucher et l'odorat.

QUE mangent les papillons ?

Les papillons prennent peu de nourriture solide, mais ils ont besoin de sources d'énergie, comme les sucres contenus dans le **nectar** des fleurs. Ce sont les fleurs aux couleurs vives qui contiennent le plus de nectar ; les papillons l'aspirent avec leur longue langue qu'ils déroulent comme une trompe.

Un machaon qui boit le nectar d'une fleur

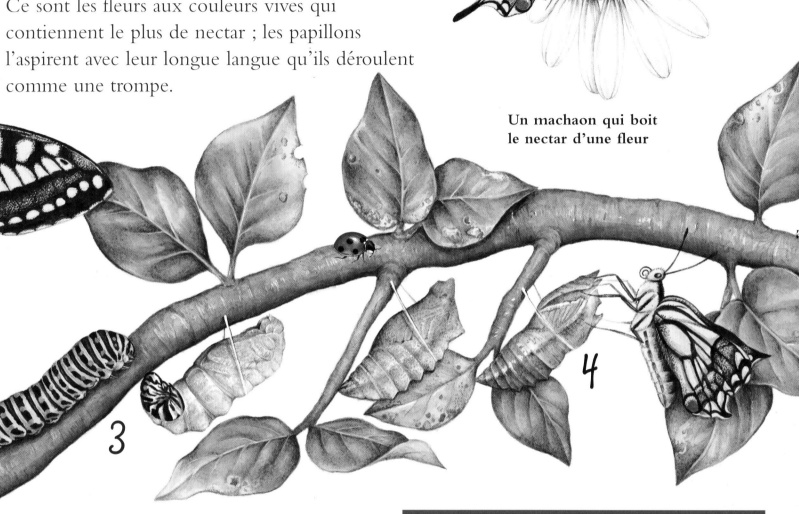

OÙ les papillons dorment-ils ?

La nuit, les papillons se trouvent un endroit tranquille pour dormir, par exemple sous une feuille ou bien sur un brin d'herbe. Très souvent, ils y reviennent chaque nuit.

Maintenant, je sais que...

★ Les chenilles, en grandissant, se transforment en papillons.

★ Les papillons boivent le nectar sucré produit par les fleurs.

★ Les papillons retournent souvent dormir à la même place.

QUI VIT dans les sous-bois ?

Cherche et trouve ★ le cloporte

Dans les sous-bois, les vieilles souches et l'épaisse couche de feuilles mortes qui couvrent le sol offrent des abris et une nourriture abondante pour toutes sortes d'invertébrés. Vers de terre, escargots, mille-pattes et cloportes se nourrissent de bois et de plantes en décomposition, mais aussi de jeunes pousses, de fruits et de graines. Ils servent à leur tour de nourriture aux féroces chasseurs que sont les araignées et certains coléoptères.

POURQUOI le cerf-volant a-t-il d'énormes mandibules ?

De nombreux coléoptères ont de puissantes **mandibules** pour happer et déchirer leurs proies. Chez le mâle du lucane cerf-volant, ces mandibules sont si développées qu'elles font penser aux bois d'un cerf. À la saison des amours, il s'en sert comme d'une arme pour se battre avec les autres mâles.

Herbivores et prédateurs

Lucanes cerfs-volants mâles

Mille-pattes

Ver de terre

Cloporte

Étonnant !

Les mouches mangent à peu près tout, même du cirage, dit-on.

Il y a davantage d'arbres détruits par des insectes que par les incendies.

Capricorne

Cicindèle champêtre

Lucane femelle

Fourmi

POURQUOI les vers de terre sont-ils utiles ?

En circulant dans le sol où ils creusent de petits tunnels, les vers de terre (ou lombrics) assurent un brassage qui aère la terre et facilite le recyclage des déchets.

Maintenant, je sais que...

★ Beaucoup d'invertébrés des sous-bois se nourrissent de matières en décomposition.

★ Le lucane cerf-volant mâle se sert de ses longues et puissantes mandibules comme d'une arme.

QU'EST-CE QU'UN ver luisant ?

Les vers luisants ne sont pas des vers, mais des **larves** d'insectes **coléoptères**, cousins des lucioles. Au stade adulte, vers luisants et lucioles ne vivent que le temps de se reproduire et émettent des signaux lumineux pour attirer des partenaires. La femelle n'a pas d'ailes, et seul le mâle peut voler. Larves et adultes ont dans l'abdomen une sorte de lanterne dont la lumière, due à une réaction chimique, ne dégage pas de chaleur.

COMMENT chantent les sauterelles ?

Chez les sauterelles, seuls les mâles chantent pour attirer les femelles : pour cela, ils frottent une patte arrière contre une nervure de leurs ailes, comme un archet sur une corde de violon. Chaque espèce chante sur un ton différent.

Lucioles

Papillons

Sauterelle

QUI est le plus bruyant ?

L'insecte le plus bruyant du monde est la cigale, qui ne se fait entendre que le jour. Son chant, appelé stridulation, est produit par deux caisses de résonance situées sous la peau de son abdomen, semblable à la membrane d'un tambour.

Étonnant !

Le ver luisant Phrynxothrix, qui vit au Brésil, a été surnommé « Ver-Chef-de-gare ». En effet, l'extrémité de son abdomen lance des éclairs de lumière rouge (c'est le seul cas connu) et les autres segments une lumière bleue ou verte, comme les signaux du chemin de fer.

Les nuits d'été sont pleines de chants d'insectes tels que les grillons, cousins des sauterelles. L'obscurité est trouée par les points lumineux des lucioles.

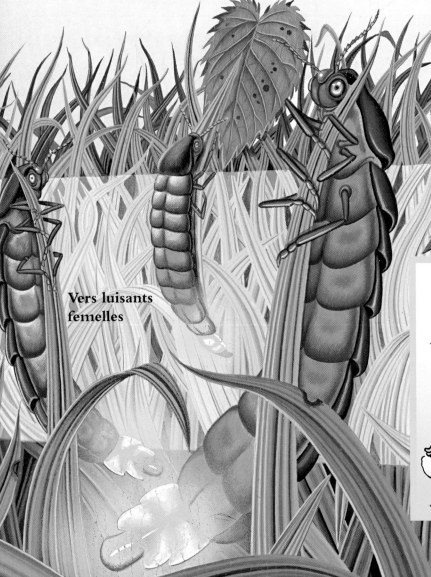

Vers luisants femelles

Escargot

Maintenant, je sais que...

★ Vers luisants et lucioles sont en réalité les larves et les adultes d'insectes coléoptères.

★ Chaque espèce de sauterelle chante sur une note différente.

★ Les cigales sont les insectes les plus bruyants.

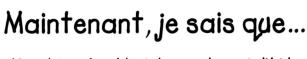

POURQUOI les sauterelles perdent-elles leur peau?

Les sauterelles qui viennent de naître sont des copies en miniature de leurs parents, mais sans ailes. Leur croissance se fait par étapes. À mesure que les jeunes grandissent, leur peau rigide devient trop étroite, craque et tombe : c'est ce que l'on appelle la **mue**. L'insecte grandit alors avant que sa nouvelle peau n'ait durci au contact de l'air.

COMBIEN d'œufs un insecte pond-il?

Les sauterelles femelles pondent rarement plus d'une centaine d'œufs à la fois, mais d'autres espèces en pondent des milliers. Les insectes déposent souvent leurs œufs sur des plantes qui serviront de nourriture aux jeunes.

La croissance est presque terminée.

Les sauterelles pondent souvent dans le sable ou un sol sableux. Après l'éclosion, les jeunes se creusent un chemin jusqu'à la surface.

Éclosion des œufs de sauterelle

Jeune sauterelle

Les criquets, parents des sauterelles, se déplacent en nuages serrés comptant jusqu'à 50 milliards d'insectes.

QUI pond dans un sac ?

Pour garder leurs œufs en sûreté, certaines araignées les enferment dans un sac qu'elles tissent avec leur soie et qu'elles transportent partout. L'éclosion a lieu dans le sac et les jeunes araignées n'abandonnent cet abri qu'après leur première mue.

Vieille peau

Mue finale

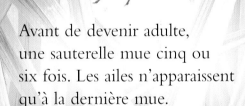

Avant de devenir adulte, une sauterelle mue cinq ou six fois. Les ailes n'apparaissent qu'à la dernière mue.

Maintenant, je sais que...

★ Les bébés sauterelles ressemblent à leurs parents, mais n'ont pas d'ailes.

★ Certaines araignées fabriquent un sac en soie pour transporter leurs œufs.

★ Les insectes pondent souvent près d'une source de nourriture.

À QUOI sert la toile de l'araignée ?

★ Cherche et trouve ★

la mouche

Au lieu de capturer leurs proies à la course, beaucoup d'araignées préfèrent les prendre au piège. Elles tendent sur leur passage des sortes de filets aux mailles plus ou moins serrées que l'on appelle toiles. Ces toiles sont faites avec un fil de soie fin et souple, sécrété par des glandes spéciales. Liquide au sortir de l'abdomen de l'araignée, la **soie** durcit au contact de l'air.

Épeire diadème, ou araignée des jardins

Les araignées tisseuses de toiles ne se font jamais prendre à leur propre piège. Le bout de leurs pattes est enduit d'une substance huileuse qui leur permet de glisser à toute vitesse le long des fils de soie gluants.

COMMENT l'araignée construit-elle sa toile ?

Les superbes toiles géométriques des araignées des jardins sont toujours construites de la même façon : d'abord le cadre fait d'un fil épais, ensuite les « rayons », puis les spirales, en fil plus fin. L'araignée termine par des spirales faites d'une soie gluante qui retiendra les proies prisonnières.

22

Certaines araignées « emmaillotent » leurs victimes dans un cocon de fils de soie, pour les empêcher de se débattre et de se libérer. Leur toile leur sert alors de garde-manger.

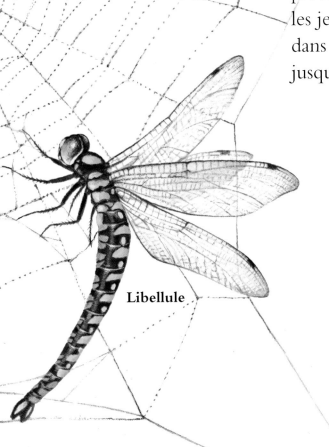

Libellule

Étonnant !

Dès que sa toile est endommagée, l'araignée en reconstruit une autre, détruisant la première en mangeant la soie.

Fine comme un cheveu, la soie d'araignée est pourtant plus résistante qu'un fil d'acier de même diamètre !

OÙ sont élevés les bébés araignées ?

Certaines araignées n'utilisent pas leur toile pour capturer des insectes, mais elles s'en servent pour garder leurs œufs hors de portée des autres prédateurs. Après l'éclosion, les jeunes restent en général dans cette nursery suspendue jusqu'à leur deuxième mue.

Nursery pour bébés araignées

Maintenant, je sais que...

★ Les araignées bâtissent toujours leur toile suivant le même plan.

★ Certaines toiles sont utilisées comme « chambre de bébé ». Les jeunes y sont gardés à l'abri après l'éclosion.

23

QUEL insecte ressemble à une brindille ?

Quand un animal est trop lent pour fuir et que la nature ne lui a pas donné d'armes efficaces (griffes, dents, etc.), il lui reste un autre moyen de défense : le **mimétisme,** qui consiste à prendre l'apparence des plantes environnantes pour devenir invisible. C'est la solution choisie par les phasmes, insectes qui ressemblent tellement à des rameaux ou à des feuilles que tout le monde s'y trompe.

Mante Religieuse

POURQUOI la mante religieuse semble-t-elle prier ?

Si ce gros insecte tient ainsi ses pattes avant levées, dans la position d'une personne agenouillée sur un prie-dieu, c'est pour être prête à saisir sa proie. Comme la mante se tient parfaitement immobile et qu'elle se confond, par sa forme et sa couleur, avec la végétation qui l'entoure, de malheureuses petites bêtes s'approchent et se font aussitôt capturer et dévorer.

Étonnant !

Pour se défendre, le carabe bombardier projette sur ses ennemis un jet de produit détonant qui explose comme un pétard.

Avec ses 35 cm de long, le phasme géant d'Indonésie est apparemment le plus grand insecte du monde.

Cérèses buffles

Les cérèses buffles, qui vivent sur les arbres, se confondent avec les épines et les bourgeons.

Le cercope sanguinolent qui saute parmi les herbes cache ses larves dans une sorte de mousse appelée «crachat de coucou».

Coccinelle

Phasme brindille

Cercope sanguinolent

Les méloés sont des coléoptères au corps mou. Ils se défendent en laissant suinter un liquide huileux et jaunâtre qui irrite fortement la peau.

Méloés

À QUOI servent les couleurs vives ?

Les couleurs vives et les rayures contrastées de certains insectes jouent le rôle de panneau de signalisation : elles avertissent les prédateurs que l'animal n'est pas comestible ou que son contact est dangereux.

Insecte- feuille

Les insectes-feuilles ou phyllies se confondent avec les feuilles. De plus, ces insectes pondent des œufs qui ressemblent à des graines.

Maintenant, je sais que...

★ Certains insectes échappent à la vue de leurs ennemis en prenant l'aspect de branches ou de feuilles : c'est le mimétisme.

★ Les couleurs vives sont perçues comme un signal de danger.

COMMENT vivent les fourmis ?

Comme les abeilles, les fourmis sont des insectes sociaux, qui vivent en collectivités organisées appelées **colonies**. Chaque colonie vit dans une fourmilière où la ponte est assurée par la reine. Les ouvrières s'occupent de l'élevage des larves, de l'approvisionnement et des travaux d'entretien, tandis que d'autres défendent la fourmilière contre les attaques des autres colonies.

Fourmis rousses

Parents des fourmis, les termites sont d'extraordinaires bâtisseurs : leurs termitières peuvent dépasser 6 m de haut !

Larves

Étonnant !

Partout où elle passe, une fourmi laisse des signaux odorants, perçus seulement par les habitants de sa fourmilière.

Les fourmis peuvent soulever 20 fois leur poids.

À QUOI SERVENT
les fourmis pot-de-miel?

Dans les zones semi-désertiques à longue saison sèche, certaines fourmis font provision de nectar de fleurs et de miel. Elles les font avaler à des ouvrières dont l'abdomen s'enfle démesurément et qui se voient ainsi transformées en boîtes de conserve vivantes. Quand la nourriture manque, elles régurgitent ce qu'elles ont avalé.

Fourmis pot-de-miel

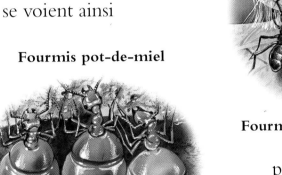

QUE FONT
les fourmis tisserandes?

Ces fourmis **arboricoles** vivent dans les arbres. Elles se construisent de véritables tentes en cousant solidement ensemble des feuilles au moyen d'un fil de soie sécrété par une de leurs larves.

Fourmis tisserandes

Ouvrières en quête de nourriture

Maintenant, je sais que...

★ La survie des fourmilières dépend des reines qui sont les seules à pondre.

★ Les fourmis pot-de-miel se transforment en boîtes de conserve vivantes.

Reine en train de pondre

27

QUIZ INSECTES ET PETITES BÊTES

Maintenant, que sais-tu sur ces animaux ?
Amuse-toi à répondre à ces questions.

1 Quelle sorte d'animal est la coccinelle ?
   a) une araignée
   b) un mollusque
   c) un insecte

2 De quoi se nourrissent les papillons ?
   a) de nectar
   b) d'autres d'insectes
   c) de miel

3 Quel insecte ressemble à une brindille ?
   a) le lucane cerf-volant
   b) le phasme
   c) la mante religieuse

4 Combien de pattes ont les araignées ?
   a) quatre
   b) six
   c) huit

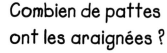

5 Combien existe-t-il d'espèces d'invertébrés ?
   a) un million et demi
   b) cent cinquante mille
   c) dix millions

6 Comment s'appelle la larve du papillon ?
   a) la nymphe
   b) la limace
   c) la chenille

7 Quelle sorte de fourmi pond des œufs ?
   a) la reine
   b) l'ouvrière
   c) la larve

8 Quel insecte produit de la lumière ?
   a) le ver de terre
   b) le ver luisant
   c) la fourmi

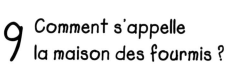

9 Comment s'appelle la maison des fourmis ?
   a) la colonie
   b) la fourmilière
   c) la ruche

10 Quel est l'insecte le plus bruyant?
   a) le papillon
   b) la cigale
   c) l'abeille

Les réponses se trouvent page 160.

Les mammifères

Jim Bruce

★ Cherche et trouve ★

l'escargot

QU'EST-CE QU'UN
mammifère ?

Rien de moins ressemblant, à première vue, qu'une chauve-souris, une girafe et une baleine. Pourtant, ce sont tous des mammifères, et ils ont en commun des points importants : ce sont des animaux **à sang chaud,** leur corps est soutenu par un squelette interne et leur peau porte des poils ou est couverte d'une **fourrure**. Ils donnent naissance à des petits vivants qui sont **allaités** par la mère. Ces caractéristiques s'appliquent à l'homme qui est, lui aussi, un mammifère.

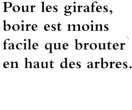

Pour les girafes, boire est moins facile que brouter en haut des arbres.

Femelle de léopard avec son petit

COMBIEN existe-t-il de mammifères ?

On connaît au moins 4 300 espèces différentes de mammifères. On en découvre de temps en temps de nouvelles, mais il est probable qu'il ne reste plus beaucoup d'espèces inconnues.

Rat des moissons

Étonnant !

Chez les mammifères, les humains battent les records de longévité (120 ans).

Les mammifères sont les plus intelligents de tous les animaux. Leur cerveau est hyperdéveloppé.

QUELLE taille
ont les mammifères ?

Les différences de taille sont beaucoup plus importantes chez les mammifères que chez les poissons ou les oiseaux. Le record est battu par la grande baleine bleue (190 tonnes), qui est aussi le plus gros animal vivant actuellement sur notre planète. L'éléphant d'Afrique, qui peut atteindre 6 tonnes, est le plus gros mammifère terrestre. À l'autre bout de l'échelle, c'est chez les musaraignes que l'on trouve les plus petits mammifères existants (quelques grammes).

Les bébés humains ont besoin de leurs parents pendant de longues années, alors que les petits d'autres mammifères sont autonomes au bout de quelques semaines.

Maintenant, je sais que...

★ Tous les mammifères allaitent leurs petits.

★ Il existe plus de 4 300 espèces de mammifères.

★ La baleine bleue est le plus gros mammifère et le plus gros animal vivant.

OÙ vit l'ours blanc ?

Cherche et trouve
la sterne arctique

L'ours blanc vit dans les régions polaires.
Il passe la plus grande partie de sa vie sur les bancs
de glace de la **banquise** et dans l'eau, car c'est un
remarquable nageur. Cet athlète aux muscles puissants se déplace
avec agilité sur la glace grâce à ses pattes munies d'une sorte
de semelle antidérapante.

QUE mange l'ours blanc ?

L'ours blanc est surtout un pêcheur qui se nourrit de poissons.
Mais il lui arrive d'attraper des oiseaux de mer, et en été il complète
ses menus avec des baies sauvages. On le voit souvent faire le guet
près des trous que les phoques font dans la glace : dès qu'ils remontent
à la surface pour respirer, l'ours les attrape d'un coup de patte adroit.

Étonnant !

L'ours blanc n'a pas besoin
de boire. Sa nourriture
lui apporte toute l'eau
qui lui est nécessaire.

L'ours blanc peut nager
pendant 100 km
sans s'arrêter !

Ours blanc

32

POURQUOI le morse est-il si gros ?

Contre le froid, l'ours blanc et le morse disposent d'un double vêtement isolant. D'abord une fourrure imperméable, sur laquelle l'eau glisse sans pénétrer. Ensuite, sous la peau, une couche de graisse protège les organes internes. Cette couche de graisse est particulièrement épaisse chez le morse, et lui permet de rester des heures et des heures dans l'eau glacée.

Les morses mâles ont deux longues défenses en ivoire, qui sont des dents modifiées. Ils les utilisent pour déterrer les crabes et les coquillages qui constituent leur nourriture avec les poissons. Elles leur servent aussi d'armes pour combattre leurs rivaux à la saison des amours.

Phoque

Maintenant, je sais que...

★ L'ours blanc et le morse vivent dans les régions polaires.

★ Une épaisse couche de graisse les protège du froid.

★ L'ours blanc peut courir sur la glace sans glisser.

33

POURQUOI la baleine mange-t-elle de si petits animaux ?

Avec ses 33 m de long et son poids de 190 tonnes (autant que 30 éléphants), la grande baleine bleue est le plus gros animal de la planète. Mais elle ne peut manger que de très petits morceaux car sa bouche est fermée par des **fanons,** lamelles verticales disposées comme les barreaux d'une grille. La baleine s'en sert comme d'une passoire pour filtrer le **krill** (minuscules animaux marins en suspension dans l'eau de mer).

À QUOI servent les évents ?

Les mammifères marins, comme les baleines et les dauphins, ne peuvent pas respirer sous l'eau comme les poissons. Ils doivent remonter à la surface pour respirer par le ou les petits trous situés sur le dessus de leur tête et appelés **évents**. L'air expiré est projeté en l'air et forme un ou deux jets de vapeur, appelés « souffle » de la baleine.

Évents

Baleines bleues

34

COMMENT les dauphins nagent-ils ?

Les dauphins sont aussi des mammifères marins. Ils se déplacent par des battements de queue, de haut en bas. Ce sont d'excellents nageurs, car l'eau glisse sur leur corps lisse en forme de fuseau.

Étonnant !

Les marins racontent qu'il leur est arrivé de vouloir débarquer sur le dos d'une baleine, croyant que c'était une île !

Le « souffle » de certaines baleines s'élève jusqu'à 10 m de haut !

Malgré leur taille imposante, les baleines sont très agiles et peuvent même sauter hors de l'eau grâce aux muscles très puissants de leur queue.

Maintenant, je sais que...

★ Les baleines sont les plus gros animaux du monde.

★ Les baleines doivent venir respirer à la surface.

★ Les dauphins sont aussi des mammifères marins.

35

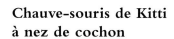
QUELS mammifères peuvent voler ?

Les chauves-souris sont les seuls mammifères capables de voler, même si elles n'ont pas de plumes. Leurs ailes sont constituées par de grands replis de peau reliant les os très allongés de leurs doigts. Ce sont des espèces **nocturnes.** Elles dorment pendant le jour, accrochées tête en bas à des branches d'arbres ou au plafond d'une grotte.

«Renard volant» australien

COMMENT les chauves-souris se dirigent-elles dans le noir ?

Les chauves-souris ont une mauvaise vue. En général, elles se dirigent dans le noir en envoyant dans toutes les directions des ultrasons : leur oreille analyse alors l'écho renvoyé par les obstacles et les localise. C'est ce que l'on appelle **l'écholocation.**

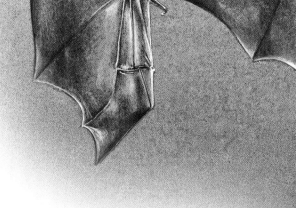

Chauve-souris de Kitti à nez de cochon

Longue de 2 cm environ, la chauve-souris de Kitti à nez de cochon est l'un des plus petits mammifères. Elle ne pèse que 2 g !

Étonnant !

On connaît une chauve-souris insectivore qui dévore 600 moustiques à l'heure !

Certaines chauves-souris se rassemblent parfois en colonies comptant plusieurs millions d'individus.

QUELLE est la différence entre vol et vol plané ?

Certains mammifères appartenant à d'autres groupes sont dits «volants». En réalité, ils se contentent de faire du vol plané en tendant des replis de peau reliant leurs membres. C'est le cas de l'écureuil volant, du gecko ou lézard volant et du petit opossum australien baptisé « sugar glider », devenu un populaire animal de compagnie.

« Sugar glider »

Les chauves-souris sont en majorité **insectivores** (elles ne mangent que des insectes), mais quelques espèces exotiques, comme le «renard volant» australien (Pteropus poliocephalus) mangent des fruits.

Maintenant, je sais que...

★ Les chauves-souris sont les seuls mammifères capables de voler.

★ L'écureuil volant et le sugar glider se contentent de planer.

★ Les chauves souris se dirigent en émettant des ondes sonores.

POURQUOI l'hippopotame a-t-il de si grosses dents?

Les hippopotames sont des **herbivores**, c'est-à-dire des animaux ne mangeant que des plantes. Ils ont des dents larges et solides pour broyer les fibres et un estomac à plusieurs poches, spécialement adapté à la digestion des végétaux. Manger est leur principale occupation.

QUI sont les ruminants?

Les mammifères à sabots, comme les buffles et les gazelles, se nourrissent de feuilles et d'herbe, et ils n'ont pas le temps de bien les mâcher. Ils les avalent donc rapidement et les mettent en réserve dans une poche de leur estomac. Au repos, ils reprendront l'herbe bouchée par bouchée pour la remâcher (la ruminer) complètement. On les appelle donc des **ruminants.**

Éléphants

Buffles

Hippopotame femelle avec son petit

Différents herbivores peuvent partager un même **habitat,** car ils ne mangent pas les mêmes étages de la végétation : la girafe broute le sommet des arbres, les éléphants les jeunes pousses un peu plus bas, les hippopotames préfèrent les hautes herbes, les antilopes et les zèbres coupent l'herbe plus à ras.

Hippopotame prenant un bain

38

POURQUOI les girafes ont-elles un aussi long cou ?

La tête de la girafe peut se trouver à 5 m du sol. Sa haute taille est due à la longueur des pattes et du cou – pourtant la girafe, comme tous les mammifères, n'a que 7 **vertèbres cervicales** ! Cette position élevée a sans doute été voulue par la nature pour un meilleur partage des ressources alimentaires : la girafe peut aller brouter des feuilles qui sont inaccessibles aux autres animaux.

Girafes broutant des feuilles d'acacia

Étonnant !

La girafe n'est pas seulement le plus grand mammifère, elle se signale aussi par sa langue, longue de 45 cm !

L'hippopotame mange en moyenne 60 kg de verdure par jour. Pas étonnant qu'il soit si gros !

Antilope

Zèbres buvant à un point d'eau

Certains mammifères, comme l'homme, ou comme l'ours, mangent à la fois des végétaux et de la viande. On dit qu'ils sont **omnivores**.

Maintenant, je sais que...

★ Les girafes sont des mammifères herbivores et des ruminants.

★ Les ruminants avalent leur nourriture deux fois.

★ Grâce à son long cou, la girafe peut brouter en haut des arbres.

QUE mangent les grands félins ?

Les animaux qui se nourrissent uniquement de la chair d'autres animaux, morts ou vivants, sont dits **carnivores**. C'est le cas des des grands **félins** (lion, tigre, léopard, jaguar, guépard). Souples et puissants, doués d'une vue excellente, d'une oreille très fine et d'un bon odorat, ce sont des chasseurs-nés. Lions et léopards sont les **prédateurs** des grands troupeaux d'herbivores de la **savane** africaine. Ils chassent de préférence la nuit.

Étonnant !

Le guépard est assez bruyant. Il ronronne et fait un curieux bruit, mi-miaulement, mi-sifflement.

Contrairement à la plupart des grands félins, les jaguars aiment l'eau et sont bons nageurs.

Un lion peut manger jusqu'à 23 kg de viande en un seul repas. Soit environ 200 biftecks !

Chez les lions, ce sont les femelles qui chassent. Les mâles participent ensuite au festin.

QUI est le plus rapide ?

Avec des pointes de 120 km/h, le guépard est le plus rapide des animaux terrestres, mais il n'a guère d'endurance et se fatigue vite. Ses griffes non rétractiles, qui mordent le sol, lui permettent de prendre plus vite ses virages.

Deux lionnes chassant une antilope

POURQUOI le tigre est-il rayé ?

Les tigres sont reconnaissables à leur robe orangée aux rayures noires. Ces raies les aident à se camoufler dans la forêt où il y a des bandes alternées d'ombre et de lumière. Se glissant en silence entre les arbres, les tigres restent ainsi invisibles jusqu'au moment où ils sautent sur leur proie.

Maintenant, je sais que...

★ Les carnivores se nourrissent de la chair d'autres animaux.

★ Le guépard est le plus rapide des animaux terrestres.

★ Les rayures du tigre l'aident à mieux se cacher dans la forêt.

41

COMMENT les castors bâtissent-ils leur maison?

Les castors vivent en petits groupes sur les lacs et les rivières. Chacun participe à la construction de la hutte qui abrite toute la famille, se servant de ses dents aiguisées comme d'une scie pour abattre les arbres puis pour les couper en rondins. L'entrée de l'habitation est aménagée sous l'eau, afin que les petits soient en sécurité.

POURQUOI le muscardin doit-il bien protéger son nid?

Ce petit rongeur passe l'hiver dans son nid bien isolé du froid en état d'**hibernation.** Cela signifie qu'il est plongé dans un sommeil profond et que sa respiration et ses battements de cœur sont ralentis. Il ne s'alimente pas et vit sur ses réserves de graisse.

Étonnant!

On a vu des castors creuser des canaux de plus de 100 m pour relier directement deux rivières.

Les réseaux de terriers des chiens de prairie s'étendent parfois sur plus de 100 hectares.

OÙ vivent les chiens de prairie ?

Cousins des marmottes, les chiens de prairie vivent dans les grandes plaines de l'ouest des États-Unis. Ils creusent dans le sol un réseau de galeries et de chambres qui s'étend sur des kilomètres, avec des cheminées d'aération gardées par des sentinelles.

Barrage construit par les castors

Maintenant, je sais que...

★ Les animaux qui hibernent ont une activité ralentie à la saison froide.

★ Les castors bâtissent des huttes sur la rivière.

★ Les chiens de prairie creusent de vraies villes souterraines.

43

QUAND l'éléphant est-il adulte ?

Les nouveau-nés de certains mammifères sont aveugles et incapables de marcher, comme les chatons. D'autres peuvent aussitôt gambader, comme les poulains. Une heure après sa naissance, l'éléphanteau est assez vigoureux pour suivre sa mère. Il est adulte à 10-12 ans, mais il continuera à grandir très lentement pendant de longues années.

QUI surveille les jeunes ?

Les éléphants vivent en petits groupes conduits par une femelle âgée. Chaque éléphanteau reste avec sa mère, mais si elle est malade ou blessée, les autres femelles s'occuperont de lui. Les hippopotames, eux, se relaient pour surveiller leurs petits, qui sont gardés dans des sortes de nurseries collectives.

Étonnant !

Un éléphant peut aspirer 10 litres d'eau dans sa trompe : de quoi donner une bonne douche !

Chez les éléphants, la gestation dure 660 jours, contre 270 jours chez l'homme !

DE QUOI se nourrissent les porcelets ?

Comme tous les mammifères, la truie allaite ses porcelets. Ils sont **sevrés** au bout de quelques semaines, alors que chez d'autres espèces, comme les éléphants, les petits tètent pendant plusieurs années.

Les femelles du troupeau ont pris le petit éléphanteau sous leur protection.

Les éléphants sont bons nageurs malgré leur poids et adorent se baigner. Ils aiment aussi se doucher avec l'eau aspirée dans leur trompe.

Maintenant, je sais que...

★ L'éléphant est adulte à l'âge de 10-12 ans, mais il grandit encore, très lentement, pendant plusieurs dizaines d'années.

★ Les éléphants se douchent avec leur trompe.

★ Les femelles des mammifères allaitent toujours leurs petits.

QU'EST-CE QUE le kangourou a dans sa poche ?

Les kangourous sont des **marsupiaux**, c'est-à-dire des mammifères dont le petit, à la naissance, est inachevé. C'est un bébé prématuré, long de 2 cm et bien incapable de survivre dans le monde extérieur. Il doit alors ramper jusqu'à la poche que sa mère a sur le ventre (la poche marsupiale, qui contient les tétines). Il continuera à se développer au chaud et à l'abri, et il en sortira définitivement vers l'âge de 8 mois.

Les kangourou vivent tou en Australie

Étonnant !

Le bec de l'ornithorynque est équipé de détecteurs électriques qui signalent les vers enfouis dans la vase.

L'ornithorynque est un mammifère sans mamelles : le lait s'écoule des pores le long de poils épais que le petit suce.

Femelle de grand kangourou roux portant son petit dans sa poche marsupiale

POURQUOI les koalas dorment-ils autant ?

Les koalas, qui ressemblent à des ours en peluche, se nourrissent uniquement de feuilles d'eucalyptus. À cause de ce régime, ils ne stockent aucune graisse et n'ont que de faibles réserves énergétiques. Pour les économiser, ils dorment 18 heures par jour !

Le koala a une poche, mais porte aussi son petit sur son dos.

QUELS mammifères pondent des œufs ?

L'ornithorynque est un étrange animal, avec ses pattes palmées, son bec de canard et son corps couvert de fourrure. Il pond

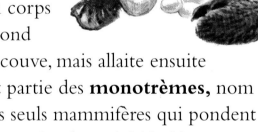

des œufs, qu'il couve, mais allaite ensuite ses petits. Il fait partie des **monotrèmes,** nom donné aux trois seuls mammifères qui pondent (l'ornithorynque et les deux échidnés).

Maintenant, je sais que...

★ Les koalas dorment 18 heures par jour.

★ Le bébé kangourou est un prématuré qui achève son développement dans la poche de sa mère.

★ L'ornithorynque est un mammifère qui pond des œufs.

COMMENT communiquent les chimpanzés ?

Les chimpanzés, qui sont nos plus proches cousins, ne sauront sans doute jamais parler, du fait de la conformation de leur gosier. Mais ils sont capables d'apprendre des mots, représentés par des jetons de couleur et de les combiner pour former des phrases. Ils peuvent même taper à la machine !

Étonnant !

Les chimpanzés savent soigner leurs petits bobos et maladies courantes en utilisant des plantes médicinales.

Les mêmes chimpanzés utilisent en guise d''éponge une poignée de feuilles trempée dans l'eau.

Jeune chimpanzé

POURQUOI le chien aboie-t-il ?

Les chiens aboient d'une manière menaçante lorsque d'autres animaux veulent pénétrer sur leur **territoire**, c'est-à-dire la demeure de leur maître. Mais nos amis ont un langage très varié : ils jappent de joie ou en signe de bienvenue, gémissent ou hurlent s'ils se sentent délaissés.

Chien de berger

48

QUEL langage les dauphins emploient-ils ?

En liberté, les dauphins vivent en troupes. Ils communiquent entre eux au moyen d'un langage à base de sifflements et de «clics», qui semble un peu différent d'un groupe à l'autre. En captivité, ils imiteraient, dit-on, le parler des hommes, mais avec des sons trop aigus pour que nous puissions les comprendre.

Les chimpanzés passent une partie de leur temps dans les arbres. Au langage qui leur sert à transmettre informations et sentiments, s'ajoutent les «cris de contact» (destinés à vérifier que tous les membres du groupe sont là, car ils ne se voient pas à travers l'épais feuillage).

Maintenant, je sais que...

★ Les chimpanzés savent se soigner avec des plantes médicinales.

★ L'aboiement du chien peut vouloir dire «bonjour» ou bien «Allez-vous en!»

★ Les dauphins ont un langage qui varie d'un groupe à l'autre.

49

QUIZ MAMMIFÈRES

Maintenant, que sais-tu sur ces animaux ?
Amuse-toi à répondre à ces questions.

1 Quel sorte d'animal est le chien de prairie ?

a) un félin
b) un rongeur
c) un chien sauvage

2 Quel mammifère se bâtit une hutte en bois ?

a) la souris
b) le chimpanzé
c) le castor

3 Quel est le plus gros de tous les mammifères ?

a) l'éléphant
b) la baleine
c) la pieuvre géante

4 Où vit l'ours blanc ?

a) près des pôles
b) dans le désert
c) dans la jungle

5 Quel mammifère possède une poche ?

a) le phoque
b) la chauve-souris
c) le kangourou

6 Lequel de ces mammifères peut voler ?

a) le gecko
b) la chauve-souris
c) l'écureuil volant

7 Quel mammifère court le plus vite ?

a) la gazelle
b) l'ours blanc
c) le guépard

8 Quel son produit le dauphin ?

a) il aboie
b) il siffle
c) il rugit

9 Lequel de ces mammifères est herbivore ?

a) la girafe
b) le lion
c) l'ours blanc

10 Quel mammifère pond des œufs ?

a) aucun
b) l'ornithorynque
c) le kangourou

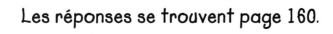

Les réponses se trouvent page 160.

Les reptiles

Claire Llewellyn

Cherche et trouve
la tête du lézard

QU'EST-CE QU'UN reptile?

Serpents, crocodiles, lézards et tortues appartiennent au groupe des reptiles. Ces animaux **à sang froid** ont un squelette interne et leur peau est protégée par des plaques ou des écailles. Les reptiles sont **ovipares** : ils se reproduisent au moyen d'œufs et pondent toujours à terre, même s'ils vivent dans l'eau.

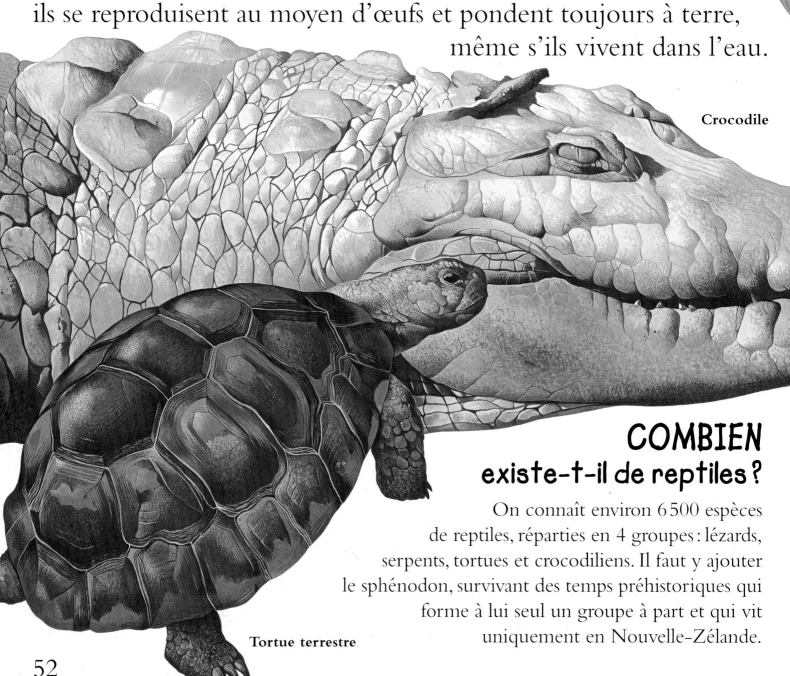

Crocodile

Tortue terrestre

COMBIEN existe-t-il de reptiles?

On connaît environ 6 500 espèces de reptiles, réparties en 4 groupes : lézards, serpents, tortues et crocodiliens. Il faut y ajouter le sphénodon, survivant des temps préhistoriques qui forme à lui seul un groupe à part et qui vit uniquement en Nouvelle-Zélande.

Serpent

Lézard

QUI détient les records ?

Chez les serpents, c'est l'anaconda qui bat tous les records avec 10 m de longueur et un poids équivalent à celui d'une vache ! Le crocodile marin, qui vit dans l'océan Indien, est presque aussi long, tandis que son cousin le crocodile du Nil ne dépasse pas 7 m pour un poids d'une tonne. À l'autre bout de l'échelle, le plus petit reptile du Monde est le jaragua, lézard des Antilles long d'environ 1,6 cm.

Anaconda

Étonnant !

Il n'existe que 22 espèces de crocodiliens, alors que l'on connaît quelque 3 800 lézards !

Les reptiles sont des champions de longévité : certaines tortues géantes vivent plus de 120 ans !

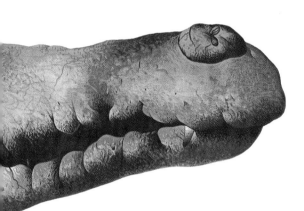

Maintenant, je sais que...

★ Les reptiles sont des animaux à sang froid qui ont un squelette et qui pondent des œufs.

★ Il existe environ 6 500 espèces de reptiles.

★ L'anaconda est le plus grand des serpents.

QUEL EST le plus gros lézard?

Le dragon de Komodo vit en Indonésie. Avec ses 3 m de longueur, il est le géant du groupe des lézards ! C'est un charognard qui dévore aussi cochons, chèvres et **cervidés,** après les avoir tués avec sa salive qui est un poison mortel. Aucun animal ne survit à la morsure d'un dragon de Komodo !

Étonnant !

Il arrive que les lézards reviennent chercher la queue dont ils se sont séparés pour la manger !

Le basilic, un lézard d'Amérique du Sud, peut courir sur ses pattes arrière. S'il va très vite, il lui arrive même de courir 2 ou 3 mètres sur l'eau sans s'enfoncer !

Malgré son poids, le dragon de Komodo est capable de courir à 18 km/h grâce à ses pattes robustes et puissamment musclées.

54

Les geckos n'ont pas de paupières : pour protéger leurs yeux du sable et des poussières : ils les nettoient avec leur langue !

COMMENT le gecko marche-t-il au plafond ?

Les geckos sont de petits lézards des pays tropicaux qui pénètrent dans les maisons, attirés par la lumière électrique.

On les voit courir sur les murs, et ils sont capables de marcher au plafond, sens dessus dessous, grâce aux coussinets adhésifs, un peu comparables à du velcro, qui garnissent le dessous de leurs pieds.

POURQUOI les lézards se séparent-ils de leur queue ?

Les lézards sont agiles : souvent les prédateurs ne saisissent que leur queue ! Ils ont alors un comportement défensif appelé **autotomie,** consistant à casser net cette queue.

Le poursuivant est surpris, et le lézard en profite pour se sauver. La queue repoussera, mais pas toujours aussi longue qu'avant.

Exemple d'autotomie : le scinque pentaligne vient de se séparer de sa queue.

Maintenant, je sais que...

★ Le dragon de Komodo est le plus gros de tous les lézards.

★ Le gecko marche au plafond grâce aux coussins adhésifs de ses pattes.

★ Un lézard capturé peut se sauver en sacrifiant sa queue.

COMMENT les crocodiles capturent-ils leurs proies ?

Les crocodiles chassent à l'**affût**, cachés sous l'eau : une valve ferme leurs oreilles et leurs narines, et une sorte de hublot transparent protège leurs yeux. Dès qu'un animal s'approche, le crocodile bondit en détendant les puissants muscles de sa queue, saisit sa proie entre ses mâchoires et l'entraîne sous l'eau pour la noyer.

OÙ vivent les crocodiles de mer ?

Les crocodiles marins vivent surtout dans les **estuaires** et les marécages. On les rencontre près des côtes australiennes, et ils s'aventurent quelquefois en haute mer. Leur corps, couvert d'écailles plus petites et plus minces, est en effet plus léger que celui des autres crocodiles et ils peuvent nager plus longtemps.

Crocodile marin attaquant des wallabies (petits kangourous).

Les dents des crocodiles sont faites pour happer et déchiqueter, mais pas pour mâcher. Ils avalent d'un coup les proies de petite taille.

QUELLE est la différence entre les alligators et les crocodiles ?

L'alligator a le museau plus plat et plus rond que le crocodile, qui est aussi reconnaissable à la grande dent qui dépasse de sa mâchoire inférieure. Le gavial indien a des mâchoires longues et étroites, faites pour attraper les poissons. Le caïman d'Amérique du Sud est très proche du crocodile mais a un bourrelet autour des yeux.

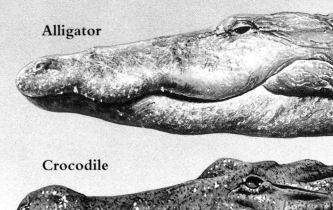
Alligator

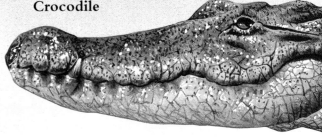
Crocodile

Gavial

Wallaby

Étonnant !

Les dents des crocodiles se renouvellent jusqu'à leur mort : si l'une se casse, une autre repousse.

La trachée du crocodile est obturée à volonté par un repli de sa langue : il peut ainsi manger sous l'eau sans que ses poumons soient noyés.

Maintenant, je sais que...

★ Les crocodiles se cachent sous l'eau pour capturer leurs proies.

★ Les crocodiles marins vivent dans les estuaires de l'océan Indien.

★ L'alligator a le museau plus plat que le crocodile.

QU'EST-CE QUI différencie les tortues des autres reptiles ?

Les tortues sont les seuls reptiles sans dents : celles-ci sont remplacées par un bec corné, aux bords tranchants. Leur carapace rigide est faite d'une partie dorsale (bombée) et d'une partie ventrale (plate). Ces deux parties sont soudées, avec des ouvertures pour rentrer et sortir la tête et les pattes. La queue est si petite qu'elle passe inaperçue.

Tortue caouanne

Tortue étoilée de Birmanie

COMMENT nagent les tortues marines ?

La carapace est plus légère à porter dans l'eau et les tortues marines sont de bonnes nageuses qui utilisent leurs pattes transformées en « palettes natatoires » comme des rames. Certaines atteignent 30 km/h. D'autres se déplacent peu et vont brouter dans les prairies d'algues proches du littoral.

POURQUOI la tortue-alligator ouvre-t-elle le bec ?

Quand cette tortue d'eau douce a faim, elle se pose au fond de la rivière et ouvre grand son bec. Sur sa langue, un petit lambeau de peau ressemble absolument à un ver. Les poissons affamés se précipitent sur cet **appât,** droit dans le bec de la tortue-alligator, qui n'a plus qu'à les manger.

Tortue-alligator en train de pêcher

Étonnant !

Les tortues vivent sur Terre depuis 200 millions d'années !

Certaines tortues d'eau douce ont sur le nez un petit tube dont elles se servent comme d'un tuba.

Comme jadis les armures des chevaliers, la carapace des tortues terrestres est pesante et ralentit leurs mouvement. La lenteur des tortues n'est pas une légende : elles ne se déplacent qu'à 0,5 km/h.

Maintenant, je sais que...

★ La tortue terrestre a des pattes et avance à 0,5 km/h.

★ La tortue de mer a des palettes natatoires.

★ La carapace d'une tortue est faite de deux morceaux qui sont soudés.

★ Cherche et trouve ★
la narine

POURQUOI
les serpents changent-ils de peau ?

La peau couverte d'écailles des serpents et des lézards ne grandit pas en même temps qu'eux comme celle des mammifères. Ils en changent donc deux ou trois fois par an : on dit qu'ils muent.

COMMENT les serpents repèrent-ils leurs proies ?

Chez les serpents, l'odorat et le goût sont réunis en un seul organe, situé dans le palais : c'est donc par sa langue fourchue que le serpent perçoit les odeurs, et c'est pourquoi il la sort aussi souvent pour humer l'air à la recherche d'une proie.

Les serpents muent en une seule fois. Ils doivent d'abord trouver une surface rugueuse : ils s'y frottent et l'ancienne peau se détache comme un gant qu'on enlève. D il y a une peau toute neuve ! La vieille peau abandonnée s'appelle une **exuvie**.

Les serpents ne ferment jamais les yeux car ils n'ont pas de paupières.

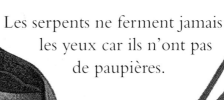

60

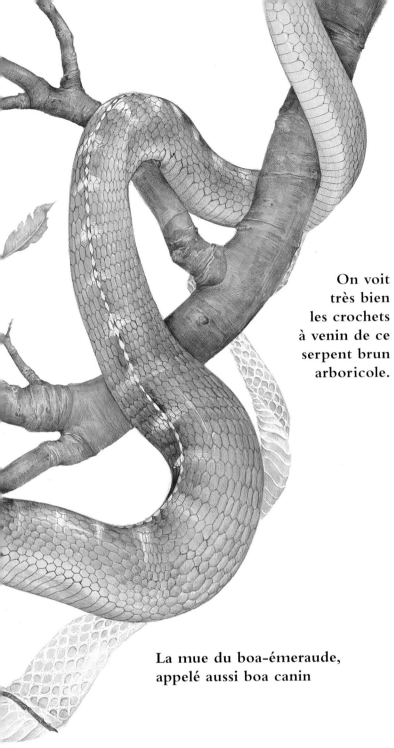

On voit très bien les crochets à venin de ce serpent brun arboricole.

La mue du boa-émeraude, appelé aussi boa canin

QUELLES sont les armes des serpents ?

Les grands serpents (boa, python, etc.) étouffent leurs victimes entre leurs anneaux. D'autres les empoisonnent en leur injectant du **venin** produit par des glandes de leurs joues. Un canal relie ces glandes à venin aux crochets venimeux fins comme des aiguilles, repliés en temps normal contre le palais.

Étonnant !

On ne connaît pas de serpents herbivores !

Notre colonne vertébrale est formée de 29 vertèbres, celle des serpents en compte jusqu'à 400 !

Maintenant, je sais que...

★ Les serpents changent de peau plusieurs fois par an.

★ Il existe plus de 250 serpents dont le venin est mortel.

★ La langue des serpents leur sert à percevoir les odeurs.

Cherche et trouve les œufs

OÙ pondent les tortues de mer?

Grandes voyageuses, les tortues de mer retournent toujours pondre sur la même plage. Deux mois plus tard, les bébés tortues sortent des œufs et courent vers la mer. Mais tous n'y arriveront pas, car les mouettes et toutes sortes d'autres prédateurs les guettent…

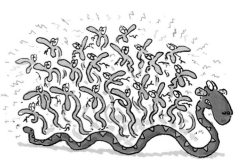

Étonnant!

Certains serpents pondent jusqu'à 100 œufs à la fois. Le serpent à sonnette, lui, se contente de 10 œufs!

Venues parfois de très loin, les tortues viennent enfouir leurs œufs dans le sable pendant la nuit. Chacune pond environ cent œufs qu'elle recouvre soigneusement, avant de retourner à la mer.

EST-CE QUE tous les serpents pondent des œufs ?

Les serpents sont ovipares dans leur très grande majorité, mais quelques-uns donnent directement naissance à des serpenteaux vivants, comme les vipères. C'est aussi le cas de plusieurs boas, alors que leurs proches parents les pythons pondent tous des œufs.

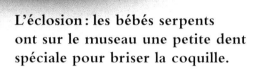

L'éclosion : les bébés serpents ont sur le museau une petite dent spéciale pour briser la coquille.

QUI est la meilleure mère ?

C'est la maman crocodile, qui monte la garde près du nid où elle a déposé ses œufs. Au moment de l'**éclosion,** elle aide les petits à sortir de leur coquille puis elle les prend délicatement dans sa gueule et elle les porte dans l'eau.

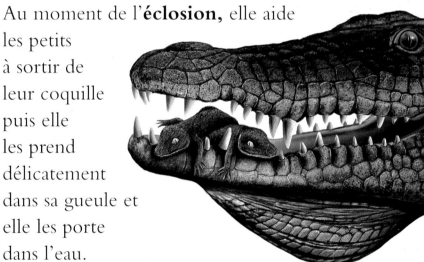

Maintenant, je sais que...

★ Les tortues de mer viennent toujours pondre à terre.

★ La vipère ne pond pas d'œufs mais donne naissance à des petits vivants.

★ Le bébé serpent est un serpenteau.

À QUOI
sert le camouflage ?

Le gecko à queue plate vit dans les arbres et il faut y regarder à deux fois pour le distinguer, tellement il se confond avec la branche : sa peau rugueuse a exactement l'aspect d'une plaque d'écorce moussue, et sa queue aplatie ressemble à une feuille. Les insectes dont il se nourrit ne se méfient donc pas et s'approchent de lui.

Ce gecko vit en Australie et à Madagascar.

POURQUOI le serpent corail a-t-il des couleurs vives ?

Il ne passe pas inaperçu avec ses bandes rouges, noires et blanches ! Ces couleurs vives préviennent les autres animaux qu'il y a du danger à l'attaquer.

Le venin du serpent corail peut être mortel.

COMMENT le caméléon change-t-il de couleur ?

Les caméléons sont les champions du **camouflage**. Ils prennent les couleurs de ce qui les entoure, en changeant la taille et la couleur des cellules de leur peau. Il leur faut par exemple 5 minutes pour passer du brun au vert. Cette faculté à imiter et à se transformer s'appelle le mimétisme.

Ce caméléon casqué est devenu vert en se perchant dans les arbres.

Étonnant !

Le serpent du lait est inoffensif, mais il a les mêmes couleurs (dans un ordre différent) que le serpent corail : il profite de cette ressemblance, car les autres animaux, croyant qu'il est venimeux, le laissent en paix.

La langue du caméléon est aussi longue que son corps ! Son extrémité gluante en fait un bon attrape-insectes.

Maintenant, je sais que...

★ Les couleurs vives du serpent corail sont un signal d'avertissement.

★ Le gecko à queue plate se confond avec l'écorce.

★ Le caméléon est capable de changer de couleur en 5 minutes.

COMMENT le lézard à collerette trompe-t-il ses ennemis ?

Quand ce grand lézard australien est menacé par un autre animal sans avoir la possibilité de fuir, il déploie un repli de peau qu'il a autour du cou, tout en lançant des sifflements. Cette large collerette aux couleurs vives le fait paraître quatre fois plus gros qu'il n'est en réalité. L'agresseur préfère en général s'en aller.

Ce lézard se sert aussi de son éclatante collerette pour séduire les femelles.

OÙ est la sonnette du serpent à sonnette ?

Serpent très venimeux, le crotale est appelé serpent à sonnette car le bout de sa queue porte des anneaux cornés mobiles qui produisent un cliquetis sec quand il les agite. C'est sa façon de dire aux autres animaux : « Écartez-vous de mon chemin ! »

QUEL lézard gonfle son corps comme un ballon ?

Le chuckwalla est un gros lézard vivant dans les déserts du Sud des États-Unis. S'il se sent en danger, il se faufile dans une crevasse de rocher et gonfle si bien son corps d'air qu'il est absolument impossible de l'extirper.

Étonnant !

Le scinque à langue bleue est un grand lézard d'Australie qui effraie ses ennemis en leur tirant sa langue d'une couleur bleue tout à fait inattendue.

La couleuvre à collier sait très bien faire le mort pour tromper ses agresseurs.

Maintenant, je sais que...

★ Le lézard à collerette donne l'impression d'être quatre fois plus gros qu'il n'est en réalité.

★ Le serpent à sonnette est le surnom donné au crotale.

★ Le chuckwalla se gonfle d'air pour mieux se coller au rocher.

POURQUOI les reptiles sont-ils adaptés à la vie dans le désert ?

Si les reptiles survivent dans ce milieu inhospitalier, c'est parce que leurs écailles empêchent l'évaporation de l'eau contenue dans leur corps. Ils ont donc moins besoin de boire. D'autre part, grâce à l'énergie fournie par le soleil, ils peuvent survivre avec très peu de nourriture.

QUELLE est la meilleure façon de se déplacer sur le sable ?

Le désert de sable pose quelques problèmes aux animaux qui y vivent et qui doivent se déplacer sur ce sol instable (et parfois brûlant). Pour avancer sans s'enfoncer, le crotale cornu se déplace par de grandes ondulations latérales en «S». Ce serpent à sonnette se nourrit de lapins, de rats et d'autres petits **rongeurs**, ainsi que de lézards.

Crotale cornu

Iguane des sables

Lézard cornu

Rat-kangourou de Californie

QUE mange le monstre de Gila ?

Le monstre de Gila est l'un des deux seuls lézards venimeux. Ce lézard au corps massif, long de 50 à 60 cm, chasse la nuit et capture des rongeurs et des œufs d'oiseaux. Il maintient sa proie entre ses pattes pendant qu'il lui injecte son venin mortel. Il lui arrive aussi de gober les œufs d'autres reptiles.

Étonnant !

Appelé moloch hérissé.. ce lézard australien se désaltère en aspirant la rosée qui se condense à l'aube sur ses écailles !

Le rat-kangourou ne boit jamais. L'eau contenue dans les graines qu'il mange lui suffit.

Tortues gaufres

Monstre de Gila

Maintenant, je sais que...

★ Le corps des reptiles est bien adapté à la vie dans le désert.

★ Il n'existe que deux espèces de lézards venimeux.

★ Le rat-kangourou n'a jamais besoin de boire.

QUIZ REPTILES

Maintenant, que sais-tu sur ces animaux ?
Amuse-toi à répondre à ces questions.

1 Quel genre de reptile est le gavial ?
a) un lézard
b) un crocodile
c) un serpent

2 Où pondent les reptiles ?
a) dans les fleuves et les lacs
b) dans la mer
c) sur la terre ferme

3 Quel reptile a une salive qui est un poison mortel ?
a) le serpent-corail
b) le dragon de Komodo
c) la tortue étoilée

4 Quels reptiles changent de peau ?
a) les crocodiles
b) les tortues
c) les serpents

5 Quel reptile peut marcher au plafond ?
a) la couleuvre
b) l'alligator
c) le gecko

6 Pourquoi les serpents ne ferment-ils jamais les yeux ?
a) ils ne dorment jamais
b) ils n'ont pas de paupières
c) ils sont aveugles

7 Quel reptile court en position debout ?
a) le crotale cornu
b) le basilic
c) le gecko

8 Où est la sonnette du serpent à sonnette ?
a) au-dessus des yeux
b) au bout de sa queue
c) sur sa gorge

9 Combien existe-t-il de crocodiliens ?
a) moins de dix
b) une vingtaine
c) plus de cent

10 Quelle taille peut atteindre un anaconda ?
a) 10 cm
b) deux mètres
c) dix mètres

Les réponses se trouvent page 160.

Les oiseaux

Angela Wilkes

QU'EST-CE QU'UN oiseau?

Les oiseaux sont les seuls animaux à plumes. Ils possèdent tous deux ailes et sont presque tous capables de voler. Leur corps est bien plus léger que celui des animaux terrestres, parce que leurs os sont creux. Cela les aide donc à se maintenir en l'air. Ils n'ont pas de dents, mais ils se servent de leur bec pour saisir leur nourriture.

À QUOI servent les plumes?

Les oiseaux ont trois sortes de plumes différentes. Leur peau est couverte de minuscules plumes douces comme de la fourrure : c'est le **duvet**, qui les protège du froid. Par-dessus, les plumes de couverture forment un manteau imperméable. Enfin, les grandes plumes de la queue et des ailes, rigides et résistantes, leur servent à voler.

Duvet

**Plumes du corps
(tectrices)**

**Les plumes
qui servent à voler**

Plumes
des ailes
(rémiges)

Plumes
de la queue
(vectrices)

L'oiseau se sert des plumes de sa queue comme d'un gouvernail pour se diriger.

72

Étonnant !

Les gros oiseaux, comme ces oies, ont jusqu'à 25 000 plumes, alors que les minuscules colibris en ont à peine 1 000 !

Le cygne est un très gros oiseau. Pourtant, il est quatre fois moins lourd qu'un chien de même taille.

Martin-pêcheur

Casoar

Le bec des oiseaux est fait d'os et d'une matière cornée. Il est à la fois dur et léger.

Les pattes ne sont pas couvertes de plumes, mais d'écailles très résistantes.

COMBIEN d'oiseaux ?

On connaît environ 9 000 espèces d'oiseaux différentes, qui vivent dans toutes les régions du monde, de la forêt vierge aux glaces des pôles. Il en existe de toutes les tailles et de toutes les formes. Le plus minuscule de tous les oiseaux est un colibri, à peine plus gros qu'un bourdon. Le géant de la famille, c'est l'autruche, plus haute qu'un homme.

Le casoar vit en Nouvelle-Guinée et en Australie. Comme tous les oiseaux, il possède deux ailes mais il est trop grand et trop lourd pour pouvoir voler.

Maintenant, je sais que...

★ Les oiseaux sont les seuls animaux à plumes.

★ Les plumes protègent du froid et permettent de voler.

★ Il existe environ 9 000 espèces d'oiseaux.

COMMENT un oiseau vole-t-il?

Les muscles de la poitrine des oiseaux sont très puissants. Ce sont eux qui élèvent les ailes, ce qui aspire l'air vers le haut. Puis l'aile se rabat et compresse l'air vers le bas et vers l'arrière, ce qui a pour résultat de repousser l'oiseau vers le haut et de le propulser en avant. D'autres oiseaux étendent leurs ailes pour planer. Les colibris sont les seuls à pouvoir voler sur place, en arrière ou de côté.

Le geai s'élance dans le vide et bat des ailes pour prendre son envol.

Geai des chênes

Quand l'aile remonte, ses plumes s'écartent pour offrir moins de résistance à l'air.

Étonnant!

Le record d'envergure (longueur des ailes déployées d'une pointe à l'autre) appartient à l'albatros hurleur : 3,7 m !

Les martinets noirs peuvent rester des semaines sans se poser. Ils dorment même en vol.

74

POURQUOI le colibri fait-il du surplace ?

Les colibri battent des ailes si vite que l'air vibre en bourdonnant. Ce tourbillon d'air les maintient en suspension : ils peuvent donc faire du surplace, avancer ou reculer, comme un hélicoptère. Cela leur permet de s'arrêter devant les fleurs pour aspirer le nectar.

Colibri à gorge rubis

Les muscles exercent une forte poussée pour rabattre les ailes.

QUEL oiseau vole comme un planeur ?

L'albatros hurleur peut planer des semaines entières au-dessus de la mer, en gardant bien rigides ses ailes longues et minces. Il peut ainsi se laisser porter par les courants aériens (masses d'air en mouvement). Il décrit des cercles au-dessus de l'eau, ne descendant que pour attraper poissons ou calmars.

Maintenant, je sais que...

★ La majorité des oiseaux vole en battant des ailes.

★ Les colibris font du surplace pour aspirer le nectar des fleurs.

★ L'albatros peut planer des heures sans remuer les ailes.

QUELLE EST la nourriture du loriquet arc-en-ciel?

La forme du bec des oiseaux dépend de leur **régime alimentaire.** Le loriquet arc-en-ciel vit dans la forêt tropicale où les arbres sont en fleur toute l'année. Son bec court en forme de pince lui permet d'arracher les pétales et de décortiquer les boutons pour se régaler avec le pollen et le nectar. Il mange aussi des fruits, qu'il tient alors d'une patte.

Bec-croisé des sapins

À QUOI SERT le curieux bec du bec-croisé?

Cet oiseau rougeâtre aux ailes sombres possède un bec bien particulier, dont les extrémités recourbées se croisent. Il s'en sert comme d'un outil pour écarter les écailles des cônes de sapin et prélever les graines. De la même manière, le bec-croisé soulève des plaques d'écorce pour trouver des insectes qui complètent son menu.

Étonnant!

Le héron garde-bœufs accompagne les vaches aux champs et les débarrasse des insectes qui les harcèlent.

La langue du pic-vert est très longue : elle lui sert à explorer les galeries creusées sous l'écorce par les insectes et leurs larves.

POURQUOI le pic fait-il « toc-toc » sur l'écorce des arbres ?

Le pic utilise son bec robuste à la pointe bien aiguisée pour faire des trous dans les arbres et mettre au jour les galeries creusées par des insectes. Son bec lui sert aussi à tambouriner sur l'écorce pour attirer des femelles ou défier ses concurrents à la saison des amours.

Loriquet arc-en-ciel

Figue

Boutons et fleurs d'eucalyptus.

Maintenant, je sais que...

★ Le loriquet arc-en-ciel se nourrit du nectar et du pollen des fleurs.

★ Le bec-croisé extrait les graines des cônes de sapin.

★ Les pics percent l'écorce des arbres pour trouver des larves d'insectes.

POURQUOI les aigles ont-ils des serres puissantes?

Les aigles sont des rapaces, c'est-à-dire des **oiseaux de proie,** qui tuent d'autres animaux pour se nourrir. Ils ont une vue perçante et volent très haut dans le ciel, en surveillant le sol en dessous. Dès qu'ils aperçoivent une proie, il descendent en piqué, tendant en avant leurs pattes armées de griffes puissantes, ou serres, pour la saisir.

QUE mangent les vautours?

Comme les aigles, les vautours sont actifs le jour : ce sont des rapaces **diurnes** et des **charognards,** qui ne mangent que des animaux morts. Tournoyant dans le ciel, ils attendent que les lions aient fini leur repas pour s'abattre sur la carcasse. Ils jouent dans la nature un rôle utile de nettoyeurs.

Les serres de l'aigle sont une arme redoutable. La griffe arrière lui sert à tuer sa proie rapidement pour qu'elle ne se débatte pas.

78

QUAND chasse la chouette ?

La chouette est elle aussi un rapace, mais elle ne chasse que la nuit : c'est un rapace **nocturne,** qui possède de très grands yeux et qui voit très bien dans l'obscurité. Les chouettes et leurs cousins les hiboux sont des chasseurs silencieux : leurs ailes sont garnies de plumes souples et **duveteuses** qui étouffent les bruits, ce qui leur permet de s'emparer de leurs proies (petits rongeurs, insectes, etc.) par surprise.

Cette chouette effraie vient d'attraper un campagnol.

Étonnant !

Le faucon pèlerin est le champion de vitesse toutes catégories : en piqué, il atteint des pointes de vitesse de 200 km/h !

L'épervier, petit rapace très répandu en Europe, peut distinguer une proie à 5 km de distance !

Les chouettes peuvent faire pivoter leur tête complètement pour regarder derrière elles.

Aigle royal

Lapin

Maintenant, je sais que...

★ Les aigles tuent leurs proies avec leurs serres acérées.

★ Les vautours mangent des animaux morts.

★ La chouette chasse la nuit et attrape de petits animaux.

QUAND le paon fait-il la roue ?

Chez les oiseaux, ce sont souvent les mâles qui étalent les plus beaux plumages et les plus vives couleurs pour séduire les femelles. Ainsi, le paon déploie en un éventail de plus de 2 m de diamètre les extraordinaires plumes aux reflets irisés de sa traîne : on dit qu'il fait la roue. La paonne, elle, a une robe brune toute simple, car elle ne doit pas attirer l'œil des prédateurs pendant qu'elle **couve**.

Étonnant !

Chez l'oiseau de mer appelé frégate, le mâle porte sur sa gorge une poche rouge vif qu'il gonfle comme un ballon pour impressionner la femelle à qui il fait la cour !

Pour mieux étaler leurs magnifiques plumes, les oiseaux de paradis se suspendent la tête en bas à une branche : les femelles peuvent comparer !

La paonne fait semblant de ne pas voir la « roue » du paon, mais tout cela fait partie des rituels de séduction, appelés **parade nuptiale**.

Paonne

**Danse nuptiale
des grues japonaises**

QUI sont les meilleurs danseurs?

Chez les espèces où les deux sexes couvent les œufs et élèvent ensemble les oisillons, mâle et femelle ont en général le même aspect. Le choix d'un partenaire se fait alors d'après d'autres qualités, comme les talents de danseur. Les ballets des grues sont un spectacle inoubliable, tant par l'harmonie et l'élégance des mouvements que par le caractère acrobatique des figures exécutées.

COMMENT l'oiseau à berceau séduit-il ses partenaires?

Cet oiseau australien est unique au monde par la manière dont il attire les femelles : il construit une sorte d'allée où il étale des fleurs et divers objets bleus récupérés. Il peint aussi son allée en bleu avec le jus de baies écrasées, se servant d'une brindille comme pinceau.

**L'oiseau à berceau
et les trésors qu'il expose**

Paon

Maintenant, je sais que...

★ Le paon fait la roue en étalant les plumes de sa traîne en éventail.

★ Les danses nuptiales des grues sont très harmonieuses.

★ La frégate mâle gonfle la poche rouge de sa gorge.

COMMENT les oiseaux bâtissent-ils leur nid ?

À l'approche de la saison des amours, de très nombreux oiseaux se mettent à bâtir les nids qui abriteront leurs œufs, puis leurs oisillons. Certains nids consistent en un simple tas d'herbes sèches, mais d'autres, comme ceux des tisserins, font appel à des techniques de construction très poussées.

Pour le tisserin mâle, le nid est un moyen d'attirer une femelle : il va donc le faire le plus beau possible, en commençant par un anneau d'herbes qu'il accroche à une branche.

Hirondelle nourrissant sa nichée

DE QUOI est fait le nid de l'hirondelle ?

Les hirondelles accrochent aux embrasures des fenêtres ou bien entre les poutres des granges leurs nids faits de boue pétrie avec des brindilles et des fétus de paille. L'intérieur, bien douillet, est tapissé de petites plumes.

Étonnant !

Certains tisserins d'Afrique bâtissent au sommet des arbres d'énormes nids collectifs abritant jusqu'à 400 oiseaux.

Le nid de la fauvette couturière est fait de feuilles cousues ensemble avec de la soie d'araignée ou de la laine.

Cherche et trouve la fourmi

82

Pour accéder à l'intérieur du nid, il faut passer par un étroit tunnel : c'est une protection utile contre les prédateurs, car les voleurs d'œufs sont nombreux.

Quand le nid est terminé, le mâle se suspend tête en bas à l'ouverture et il bat des ailes pour attirer les femelles.

Tisserin mâle

POURQUOI les oiseaux couvent-ils leurs œufs ?

Si les œufs de certaines espèces d'oiseaux n'ont pas besoin d'être couvés, d'autres doivent être maintenus à température égale. Pour les tenir au chaud, les parents s'assoient dessus : on dit qu'ils couvent. Le mâle et la femelle couvent parfois à tour de rôle.

Maintenant, je sais que...

★ Le tisserin bâtit son nid comme on tisse une étoffe, avec des brins d'herbe à la place de fils.

★ Les nids des hirondelles sont faits de boue et de paille.

★ Certains oiseaux couvent leurs œufs.

DE QUOI ont besoin les oisillons ?

Beaucoup d'oisillons sortent de l'œuf aveugles et nus, sans la moindre plume. Ils sont bien entendu incapables de voler. Perpétuellement affamés, ils ouvrent grand leur bec, dans lequel leurs parents laissent tomber insectes, petits vers, morceaux de chenille, larves et toutes sortes d'autres aliments… Ils ne sortiront du nid que lorsqu'ils seront capables de voler.

Étonnant !

Les coucous pondent dans le nid d'autres oiseaux. À peine éclos, le petit coucou s'empresse de jeter les autres œufs hors du nid.

La mésange charbonnière fait jusqu'à 900 voyages par jour pour nourrir ses oisillons voraces.

Le gosier des oisillons a une couleur très vive : quand ils ont le bec ouvert, c'est un signal qu'ils envoient aux parents et qui veut dire « j'ai faim ! »

COMMENT l'oisillon sort-t-il de l'œuf ?

Quand un oisillon est prêt à sortir de l'œuf, il brise sa coquille à l'aide d'une pointe spéciale de son bec appelée « dent de l'œuf ». Les canetons, les poussins (et en général les espèces qui nichent au sol) sortent de l'œuf les yeux ouverts. Ils ont le corps couvert de duvet et sont capables de marcher.

Ver

Mésange bleue
donnant
la becquée
à ses oisillons

COMBIEN d'œufs pond le bec-en-sabot ?

Le bec-en-sabot vit dans les marécages
d'Afrique et bâtit des nids flottants avec des
plantes aquatiques. La femelle ne pond qu'un
œuf à la fois et s'occupe ensuite beaucoup du
jeune oiseau. Aux heures de grosse chaleur,
elle se place au-dessus de lui pour le protéger
du soleil et puise de l'eau avec son bec pour
le doucher et le rafraîchir.

Maintenant, je sais que...

★ Les oisillons qui restent au nid
sont très voraces.

★ Le coucou pond
dans le nid des autres.

★ Le bec en sabot n'élève qu'un
jeune à la fois, ce qui l'occupe
déjà beaucoup !

OÙ vont les oies sauvages ?

Les oies sauvages passent l'été dans le Grand Nord où elles trouvent des conditions idéales pour pondre et élever leur couvée. Mais l'hiver est trop rude dans ces régions, et la nourriture devient rare. À l'automne, les oies s'envolent donc vers le Sud. Au printemps suivant, elles regagneront leur séjour d'été. Ces voyages sont appelés **migrations** et représentent souvent des milliers de kilomètres. Les **oiseaux migrateurs** peuvent les accomplir d'une seule traite, ou bien faire halte en route pour boire et pour s'alimenter.

Étonnant !

Le record d'altitude est détenu par l'oie à tête barrée, avec environ 9 000 m ! Chaque année, cette oie survole en effet les plus hautes montagnes du monde pour gagner sa résidence d'hiver.

Lors de ses migrations, l'oie des neiges peut parcourir 3 000 km en deux jours !

La bernache cravant est une petite oie sauvage à tête sombre qui passe l'été sur les côtes arctiques et qui hiverne en Amérique du nord et sur les côtes ouest de l'Europe.

QUEL oiseau migrateur parcourt les plus longues distances ?

En automne, la sterne arctique quitte ses zones de reproduction de l'Arctique pour gagner l'Antarctique, où l'été polaire vient juste de commencer. Au printemps, elle fera le voyage inverse, parcourant chaque année presque 40 000 km, soit le tour de la terre.

Sterne arctique

Les oies sauvages volent les unes derrière les autres en formant un V, pour offrir moins de résistance à l'air. Chacune prend tour à tour la position de tête.

COMMENT ces oiseaux trouvent-ils leur chemin ?

On a constaté que les oiseaux migrateurs suivaient toujours la même route. De jour, ils disposent de nombreux repères au sol (cours d'eau, montagnes, etc.). Mais ceux qui volent la nuit se guident sans doute sur les étoiles. Certains possèdent une sorte de « boussole biologique »…

Maintenant, je sais que...

★ L'oie à tête barrée survole l'Himalaya à 9 000 m d'altitude.

★ C'est la sterne arctique qui fait les plus longs voyages, d'un pôle à l'autre.

★ Les oiseaux suivent toujours la même route.

Cherche et trouve ★ le serpent

COMMENT les aras se reconnaissent-ils entre eux ?

Les aras sont des grands perroquets aux couleurs vives qui vivent en groupes dans la forêt équatoriale. Chaque espèce a un plumage aux couleurs et aux dessins bien différenciés : c'est en quelque sorte l'uniforme, ou la **livrée,** qui permet à ses membres de se reconnaître entre eux. Les oiseaux qui ont des couleurs ternes (gris ou brun) s'identifient grâce à d'autres signes, par exemple une tache sur l'œil ou un collier sombre autour du cou.

POURQUOI les plumes changent-elles de couleur ?

Les oiseaux **muent**, c'est-à-dire renouvellent leurs plumes à intervalles réguliers. Cette mue s'accompagne parfois d'un changement de couleur qui procure un meilleur camouflage. Le lagopède a ainsi une robe blanche pendant les neiges hivernales, mais devient au printemps d'un beau brun qui est la couleur dominante de la lande.

Étonnant !

Semblable à un coup de trompe, le cri du butor étoilé s'entend jusqu'à 5 km !

Le hululement du chat-huant (Kivitt-K houhouhou) est en fait dû à deux oiseaux différents : au Kivitt de la femelle répond le khou-houhou du mâle.

Aras rouges

Les aras se rassemblent souvent sur les berges pour avaler de l'argile : cela les aide à digérer les graines coriaces qui font partie de leur menu.

POURQUOI
les oiseaux chantent-ils ?

Parmi les oiseaux chanteurs, chaque espèce, comme ce rouge-gorge, a son chant bien caractéristique. Au petit matin, dès que l'obscurité se dissipe, tous les oiseaux chantent en chœur pour signaler leur présence.

Maintenant, je sais que...

★ Les aras se reconnaissent entre eux à la couleur de leurs plumes.

★ Les lagopèdes deviennent blancs en hiver et sont donc moins visibles sur la neige.

★ Les passereaux chantent en chœur quand le jour se lève.

QUIZ OISEAUX

Maintenant, que sais-tu sur ces animaux ?
Amuse-toi à répondre à ces questions.

1 Quel oiseau peut voler en arrière et sur place ?
- a) le perroquet
- b) le colibri
- c) le moineau

2 Quel oiseau fait des trous dans l'écorce des arbres ?
- a) le pic
- b) la pie
- c) le hibou

3 Quand chasse la chouette ?
- a) tôt le matin
- b) la nuit
- c) s'il fait assez chaud

4 Quel est le régal du colibri ?
- a) des vers
- b) le nectar
- c) des fruits

5 Quelle est la nourriture du bec-croisé ?
- a) des grains de blé
- b) des fourmis
- c) des graines de conifères

6 Avec quoi sont bâtis les nids des hirondelles ?
- a) des feuilles
- b) des herbes tressées
- c) de la boue

7 Quel oiseau migrateur fait les plus longs voyages ?
- a) la sterne arctique
- b) l'hirondelle
- c) le vautour

8 Quel est le plus rapide des oiseaux ?
- a) l'hirondelle
- b) le faucon pèlerin
- c) l'oiseau-mouche

9 Comment vole un albatros ?
- a) il bat des ailes très vite
- b) il plane le plus souvent
- c) il rase le sol

10 Quels dessins portent les plumes du paon ?
- a) des rayures
- b) des yeux
- c) des pointillés

Les réponses se trouvent page 160.

Les poissons

Stephen Savage

QU'EST-CE QU'UN poisson ?

Les poissons sont des animaux à sang froid, qui possèdent un squelette osseux ou cartilagineux. Ils vivent dans l'eau douce ou dans l'eau salée où ils se déplacent en nageant par des ondulation du corps. Ils n'ont pas besoin de remonter à la surface pour respirer, car ils sont capables de faire passer dans leur sang l'oxygène contenu dans l'eau en le filtrant dans leurs **branchies**.

COMBIEN existe-t-il de poissons ?

On connaît environ 28 000 espèces différentes de poissons. Les poissons vivent dans tous les milieux liquides de notre planète : rivières, lacs ou océans, et même dans des eaux souterraines qui ne voient jamais la lumière. Le plus grand poisson actuel est le requin-baleine qui peut atteindre 18 m de long, tandis que le plus petit est le gobie nain des Philippines, qui mesure un centimètre et qui est transparent.

Mérou

Étonnant !

Les myxines sont des poissons sans mâchoires et sans nageoires, qui font parfois des nœuds avec leurs corps.

Poisson-trompette

Murène

Demoiselle

Poisson-pierre

Poisson-papillon

Poissons
chauve-souris

Beaucoup de poissons ont le corps couvert d'écailles.

POURQUOI les poissons sont-ils gluants?

Les poissons sont gluants parce qu'ils sont couverts de mucus : c'est un liquide épais et collant, fabriqué en permanence par des glandes spéciales, qui facilite le glissement dans l'eau et joue aussi le rôle de pommade cicatrisante. Chez certaines espèces, le mucus est une arme de défense, qui provoque brûlures et irritations quand on saisit le poisson.

Poissons-clowns

Poisson-cocher

Poisson-coffre

Baliste-clown

Maintenant, je sais que...

★ Un poisson est un animal qui peut respirer l'oxygène contenu dans l'eau.

★ Il existe environ 28 000 espèces de poissons.

★ Les poissons ont souvent le corps couvert d'un mucus gluant qui les protège.

93

Cherche et trouve

l'opercule

COMMENT respire un poisson?

L'appareil respiratoire des poissons est constitué par les branchies, lamelles riches en vaisseaux sanguins. Leur peau fine permet à l'oxygène contenu dans l'eau de passer dans le sang. Les branchies sont logées dans des fentes appelées ouïes et parfois couvertes d'un couvercle mobile : l'**opercule**.

Opercule

Étonnant!

Les dipneustes (ou poissons pulmonés) sont capables de respirer l'air. Si le lac dans lequel ils vivent est à sec, ils s'enfouissent dans la boue en s'entourant d'une coque de mucus durci.

COMMENT le bichir survit-il à la sécheresse ?

Le bichir, ou polyptère, vit dans les lacs et les rivières d'Afrique centrale. Il possède des branchies, mais quand la sécheresse règne et que l'eau devient trop pauvre en oxygène, il se sert de sa **vessie natatoire** comme d'un appareil respiratoire de secours et vient alors aspirer de l'air en surface pour survivre.

Bouche

À QUOI servent les spiracles ?

Certains poissons qui vivent posés sur le fond (comme les soles) ont un corps très aplati. Mais leur bouche est justement du côté qui est enfoui dans la vase. Ils respirent alors au moyen des spiracles, petits trous situés derrière les yeux, qui leur servent à pomper l'eau et à l'envoyer aux branchies.

Cette perche, qui vit dans les eaux douces, est parfaitement immobile, à l'exception de sa bouche et de ses opercules, qui s'ouvrent et se ferment en cadence pour faire circuler l'eau sur les branchies.

Maintenant, je sais que...

★ Les poissons respirent grâce à leurs branchies.

★ Tous les poissons ont des branchies, mais certains peuvent aussi respirer de l'air.

★ Le spiracle est un petit trou qui peut remplacer la bouche pour pomper l'eau.

COMMENT
nage un poisson ?

Les poissons nagent grâce à des ondulations de leur nageoire **caudale**, qui sert aussi de gouvernail. Les nageoires pectorales, fixées derrière les ouïes, améliorent leur équilibre dans l'eau. Certains poissons possèdent aussi une vessie natatoire interne, sac plus ou moins gonflé d'air qui leur permet de rester entre deux eaux.

Exocet ou poisson volant

POURQUOI l'exocet
est-il appelé poisson volant ?

L'exocet vit près de la surface dans les mers chaudes, et il a une façon très particulière de fuir devant un prédateur : il saute hors de l'eau et déploie ses larges nageoires pectorales, ce qui lui permet de planer sur 10 m ou même plus.

Ces carpes koï du Japon se maintiennent immobiles entre deux eaux grâce à d'imperceptibles battements de nageoires et grâce à leur vessie natatoire.

Périophtalme

POURQUOI le périophtalme quitte-t-il l'eau ?

Ces curieux poissons vivent dans les **mangroves,** ou marais d'eau salée des côtes tropicales. À marée basse, ils restent à l'air libre sur la boue, se déplaçant sur leurs épaisses nageoires qui font office de pattes, pour attraper les crabes, crevettes et insectes dont ils se nourrissent. Ils passent en fait plus de la moitié de leur vie hors de l'eau, respirant grâce à une adaptation spéciale de leurs branchies.

Étonnant !

Les anabas, ou « perches grimpeuses » d'Afrique et d'Asie, se hissent parfois sur les berges pour gagner un autre bras d'eau, se traînant à terre sur une petite distance en s'aidant de leurs nageoires.

Champion de natation, l'espadon peut dans certains cas dépasser les 100 km h !

Maintenant, je sais que...

★ Les poissons nagent grâce aux ondulations de leurs corps.

★ Un poisson volant peut planer sur plus de 10 m.

★ Les périophtalmes « marchent » en s'appuyant sur leurs épaisses nageoires.

97

POURQUOI les poissons vivent-ils en bancs ?

Les espèces que la nature n'a pas dotées d'armes préfèrent souvent vivre et se déplacer en groupes. Chez les poissons, ces groupes, appelés **bancs,** peuvent compter plusieurs centaines, voire plusieurs milliers d'individus : chacun a donc plus de chances d'échapper à un prédateur. Au sein d'un banc, le corps rayé d'un cobia se perd ainsi dans une masse confuse de rayures, si bien que les prédateurs ont du mal à viser un poisson précis.

Banc de cobias

COMMENT chasse la rascasse volante ?

La rascasse volante (également appelée poisson-lion) vit dans les récifs de **corail.** Sa méthode de chasse est originale : en effet, elle se sert de ses spectaculaires nageoires pectorales, qu'elle ouvre en éventail, pour chasser ses proies devant elle et les « rabattre » dans un recoin sans issue, où elle les gobe. Pour sa part, la rascasse volante ne craint guère les prédateurs, car les épines qui hérissent sa nageoire dorsale sont extrêmement venimeuses.

Rascasse volante : les épines de son dos sont très dangereuses.

Les poissons plats, comme le carrelet, vivent sur le sable ou la vase du fond.

QUE fait le carrelet pour se dissimuler?

Les poissons plats comme le carrelet, la sole ou la limande sont carnivores et vivent posés ou à demi enfouis sur le fond marin, guettant les petits animaux assez imprudents pour s'approcher. Certains trompent leurs proies car ils changent de couleur, se confondant parfaitement avec le sable ou la vase. Ce phénomène s'appelle l'homochromie.

Étonnant!

Le poisson-globe est hérissé de piquants. Il se gonfle d'eau pour doubler de volume et intimider ses ennemis.

Maintenant, je sais que...

★ De nombreux poissons vivent en groupes, appelés bancs.

★ La rascasse volante rabat ses proies dans les coins avec ses nageoires.

★ Plusieurs poissons plats changent de couleur et restent donc invisibles sur le fond.

99

COMMENT les poissons se reproduisent-ils ?

Les poissons pondent en général une grande quantité d'œufs et les abandonnent le plus souvent à leur sort : malgré les razzias des prédateurs, il en restera assez pour perpétuer l'espèce. Mais certains se livrent à des rituels de reproduction compliqués, comme le saumon. En effet, quand vient le temps de pondre, le saumon traverse les mers et remonte fleuves et rivières, pour aller déposer ses œufs dans leur cours supérieur.

QUEL poisson bâtit un nid de bulles d'air ?

Poissons combattants : ces beaux poissons d'eau douce sont souvent élevés en aquarium.

Les poissons-combattants, qui vivent dans les cours d'eau du Sud-Est asiatique, ont une façon originale de protéger leurs œufs des prédateurs : le mâle les dépose dans un nid de bulles d'air enrobées et collées les unes aux autres avec son propre **mucus**. Il monte ensuite la garde devant, pour chasser les voleurs éventuels.

OÙ sont cachés les œufs des hippocampes ?

Les hippocampes ne sont pas seulement curieux à voir (ce sont des poissons qui nagent verticalement), ils ont aussi de curieuses habitudes de reproduction. La femelle dépose ses œufs dans une grande poche que le mâle a dans l'abdomen. C'est là qu'a lieu l'éclosion et c'est là que les larves restent jusqu'à ce qu'elles soient devenues des **alevins**.

Hippocampe mâle entouré d'alevins

Étonnant !

Les muragos du lac Tanganyika transportent leurs œufs, et plus tard leurs alevins, dans leur bouche.

Pour que ses œufs soient en sécurité, la bouvière les dépose dans la coquille d'une moule d'eau douce.

Le saumon accomplit de véritables exploits pour rejoindre la rivière où il va pondre, sautant notamment par-dessus des barrages et luttant contre de violents courants.

Maintenant, je sais que...

★ Les poissons pondent souvent des milliers d'œufs.

★ Certaines espèces, comme les poissons-combattants, protègent leurs œufs.

★ Le saumon vit en mer et pond dans les petites rivières.

QUELS poissons s'associent aux anémones de mer ?

La mer offre plusieurs exemples d'associations entre espèces différentes. Si l'association est nécessaire aux deux partenaires, c'est une **symbiose.** Quand elle est vitale pour une espèce sans nuire à l'autre, on parle de **commensalisme** : c'est le cas du poisson-clown qui vit dans la couronne de tentacules d'une anémone de mer : leur venin tue les prédateurs du poisson, mais lui est immunisé.

Étonnant !

Le rémora est un petit poisson dont la tête est coiffée d'une ventouse. Il s'accroche à un requin ou à un autre gros poisson rapide et voyage sans fatigue !

QU'EST-CE que le labre nettoyeur fait au mérou ?

Le labre nettoyeur est un petit poisson qui loge dans les récifs de corail, où il «loue ses services» à de gros poissons comme le mérou : il les débarrasse des parasites qui infestent leurs écailles ou leur bouche, car il s'en nourrit. Ses couleurs fluorescentes sont comme un panneau publicitaire ; elles se voient de loin et attirent les clients !

POURQUOI le gobie vit-il avec une crevette?

Plusieurs petits poissons de la Mer Rouge appartenant au groupe des gobies vivent en symbiose avec des crevettes-révolver : celles-ci sont aveugles, mais très habiles à creuser rapidement un terrier dans le sable du fond pour échapper aux prédateurs. Elles permettent aux gobies de s'y abriter, et en échange les poissons les aident à trouver de la nourriture et les avertissent en cas de danger.

Le gobie, avec son associée la crevette

Le poisson-clown va et vient sans danger parmi les tentacules venimeux de l'anémone de mer.

Maintenant, je sais que...

★ Quand deux animaux dépendent l'un de l'autre pour survivre, on dit qu'ils vivent en symbiose.

★ Le labre nettoyeur débarrasse les poissons de leurs parasites et trouve ainsi sa nourriture.

★ Le poisson-clown demande asile à l'anémone de mer.

QU'EST-CE QU'UN requin?

Le requin est l'un des plus anciens poissons du monde. Il vivait déjà dans les océans au temps des dinosaures ! Les requins n'ont pas d'arêtes. Leur squelette interne est composé de **cartilages** souples, comme ceux qui soutiennent notre oreille. C'est pourquoi on les appelle poissons cartilagineux, pour les distinguer des poissons à arêtes, apparus plus tard, et qui sont dits poissons osseux.

COMBIEN existe-t-il de requins?

On connaît environ 370 espèces de requins, de taille très différente. Leur forme et leur couleur varient selon leur mode de vie : le requin pointes-noires a un corps en fuseau typique des nageurs rapides, tandis que le requin-zèbre, qui vit posé sur le fond, a un corps aplati et une très longue nageoire caudale. Sa robe jaunâtre pointillée de brun se confond avec le sable.

Requin-zèbre

Cherche et trouve
l'anthia

Requin pointes-noires

QUELS poissons sont apparentés aux requins ?

Proches parentes des requins, les raies ont un corps aplati, avec une bouche qui s'ouvre du côté opposé aux yeux. Les plus petites vivent posées sur le fond et sont parfois venimeuses, comme la pastenague. Les autres nagent en agitant leurs nageoires larges comme des ailes, telle la raie manta.

Étonnant !

Les requins ont très peu changé depuis qu'ils sont apparus dans les océans voici 400 millions d'années !

Beaucoup de petits poissons ne survivent que parce que les requins mangent leurs prédateurs !

Raie pastenague à points bleus

Maintenant, je sais que...

★ Un requin est un poisson qui a un squelette fait de cartilages souples et non d'arêtes osseuses.

★ On connaît 370 espèces différentes de requins.

★ Les raies appartiennent au même groupe que les requins.

COMMENT un requin peut-il se noyer ?

Les requins possèdent de 5 à 7 paires de fentes branchiales qui s'ouvrent et se ferment. Les branchies filtrent l'eau et prélèvent l'oxygène. Chez le grand requin blanc et le peau-bleue, une fois que l'animal est en pleine vitesse, c'est le mouvement de la nage qui active la circulation de l'eau. De ce fait, si le requin est immobilisé subitement (par exemple s'il est pris dans un filet), il risque de mourir asphyxié.

POURQUOI les grands requins dépensent-ils moins d'énergie ?

La forme de leur nageoire caudale, qui assure une poussée importante, jointe à la forme fuselée de leur corps, permet aux grands requins de dépenser moins d'énergie pour se propulser dans l'eau. De plus, chez le grand requin blanc, la température interne est plus élevée que celle de l'eau, si bien que les muscles sont plus vite échauffés.

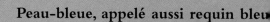

Peau-bleue, appelé aussi requin bleu

106

QUEL requin est le plus grand voyageur ?

Pour connaître le trajet effectué par les animaux lors de leurs migrations, les scientifiques leur apposent (généralement par inclusion sous la peau) de petites marques, retrouvées et contrôlées s'ils sont pêchés. Chez les requins, le peau-bleue s'est révélé le plus grand voyageur, parcourant 3 000 km pour se reproduire. Mais d'autres requins ne quittent jamais les eaux où ils sont nés.

Étonnant !

Le requin-taupe bleu fait des bonds hors de l'eau à la vitesse de 35 km/h !

Le peau-bleue détient le record de la plus longue traversée : 5 980 km. du Brésil à New York !

Les peaux-bleues chassent normalement en solitaires, mais on peut en voir plusieurs s'attaquer ensemble à un banc de calmars.

Calmars

Maintenant, je sais que...

★ Certains gros requins peuvent se noyer s'ils s'immobilisent.

★ Le grand requin blanc a une température interne plus élevée que celle de l'eau, ce qui rend ses muscles plus performants.

★ Le peau-bleue accomplit des voyages de plus de 3 000 km.

107

QUELLE est la proie favorite du grand requin blanc ?

Le grand requin blanc dévore à peu près tout ce qu'il peut attraper…
Mais les phoques constituent toutefois sa nourriture favorite, et il n'hésite pas à attaquer l'imposant éléphant de mer de Californie, qui peut dépasser 4 m de longueur et peser près de 3 tonnes !

Le grand requin blanc peut jaillir hors de l'eau pour s'emparer par surprise du lion de mer qu'il a repéré juste sous la surface.

Chassés également par les requins, les lions de mer se rencontrent dans les hémisphères Nord et Sud.

108

Étonnant !

Un requin-pèlerin peut filtrer jusqu'à 9 000 litres d'eau de mer à l'heure.

Les requins avalent souvent des objets tout à fait indigestes tels que vêtements, plaques d'immatriculation, bouteilles vides, boîtes de conserve...

QUEL requin a le régime le plus varié ?

Le requin-tigre a un régime alimentaire très varié, puisqu'aux divers poissons et autres animaux marins, il ajoute les oiseaux qu'il attrape quand ils se posent imprudemment sur l'eau. Ses dents robustes et aiguisées comme des rasoirs tranchent la carapace des tortues et des limules. Ils mangent aussi les serpents de mer les plus venimeux sans être incommodés.

COMMENT le requin-pèlerin filtre-t-il le plancton ?

Le requin pèlerin nage face aux **courants** marins en ouvrant au maximum son énorme bouche. L'eau qui s'y engouffre ressort par ses fentes branchiales, garnies de soies qui retiennent prisonniers tous les minuscules organismes du **plancton**.

Requin-pèlerin nageant la bouche grande ouverte pour mieux filtrer le plancton marin.

Maintenant, je sais que...

★ Les phoques sont la proie favorite du grand requin blanc.

★ Le requin-tigre mange toutes sortes de poissons et d'animaux marins.

★ L'énorme requin-pèlerin se nourrit des minuscules organismes du plancton.

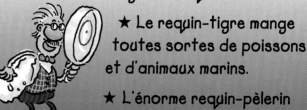

COMBIEN le requin-citron a-t-il de petits ?

La femelle du requin-citron peut avoir de quatre à dix petits vivants, qui se sont développés pendant plusieurs mois à l'intérieur de son corps. Cette naissance a lieu dans des eaux peu profondes. Après s'être reposés quelque temps sur le fond, les petits rompent le cordon les reliant à leur mère : ils devront désormais se débrouiller seuls !

Étonnant !

Le requin-baleine peut avoir 300 petits à la fois !

Les embryons du requin-taureau se mangent entre eux et il n'en survit qu'un seul !

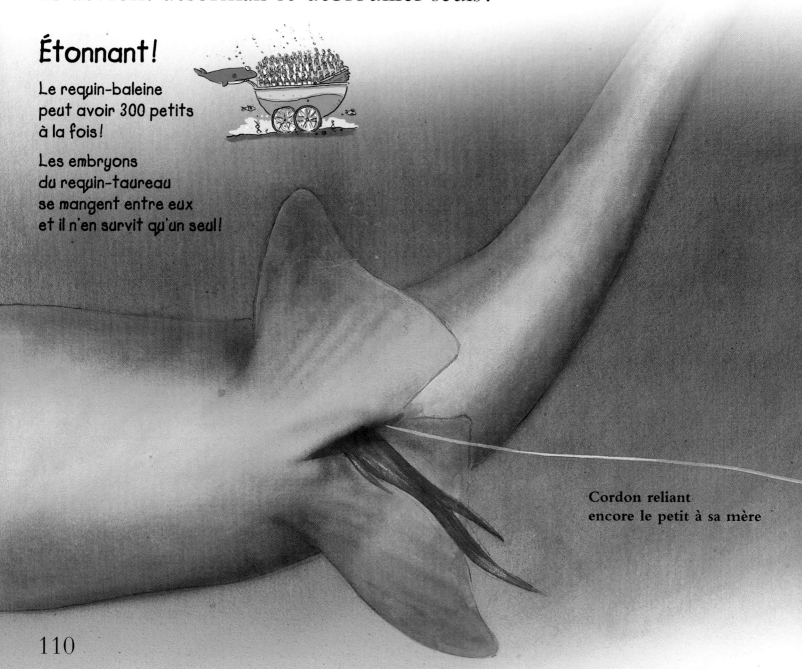

Cordon reliant
encore le petit à sa mère

110

QUELS sont les requins qui pondent des œufs ?

Les plus petits des requins, comme l'aiguillat ou le requin dormeur, pondent de 20 à 25 œufs, logés dans des poches protectrices. Un sac de placenta, attaché au corps de l'embryon, contient les réserves nutritives dont il a besoin pendant les mois précédant l'éclosion.

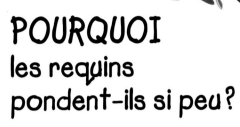

POURQUOI les requins pondent-ils si peu ?

À l'inverse des poissons qui pondent des milliers d'œufs minuscules, dont très peu échapperont aux prédateurs, les requins pondent rarement plus d'une vingtaine d'œufs. Mais ils sont à l'abri d'une poche protectrice et les petits, lors de l'éclosion, sont déjà capables de se défendre.

Petits du requin-marteau

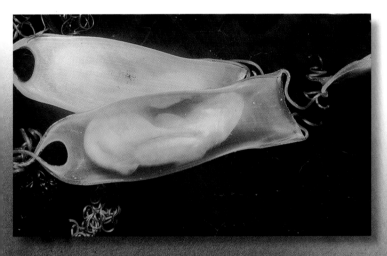

Ces poches protectrices transparentes laissent voir les embryons des aiguillats et leurs sacs de placenta.

Maintenant, je sais que...

★ Le requin-citron donne naissance à des petits vivants.

★ Les œufs des requins sont logés dans des poches protectrices. .

★ Les petits des requins sont relativement gros et risquent donc peu d'être mangés.

Le jeune requin-citron s'éloigne et va rompre le cordon pour vivre sa vie.

111

QUIZ POISSONS

Maintenant, que sais-tu sur ces animaux ?
Amuse-toi à répondre à ces questions.

1 Quel est le surnom de l'exocet ?

a) poisson-trompette
b) poisson volant
c) poisson chauve-souris

2 Quel est le plus grand poisson actuel ?

a) le requin-baleine
b) la murène
c) le thon

3 Où pondent les saumons ?

a) dans les mers chaudes
b) dans les rivières
c) dans les mers polaires

4 Quel poisson nage à 100 km h ?

a) le mérou
b) le saumon
c) l'espadon

5 Quel poisson vit sous la protection d'une anémone de mer ?

a) un poisson-clown
b) le poisson-coffre
c) la rascasse volante

6 À quoi sert le spiracle ?

a) à pomper l'eau
b) à se diriger
c) c'est l'organe de l'odorat

7 Quel requin peut avoir 300 petits à la fois ?

a) le requin-tigre
b) le requin-baleine
c) le requin-citron

8 Sur quel animal se fixe le rémora ?

a) sur un poulpe
b) sur un coquillage
c) sur un requin

9 Quel requin fait les plus longs voyages ?

a) le requin-citron
b) Le grand requin blanc
c) le peau-bleue

10 Que mange le requin-pèlerin ?

a) du plancton
b) des phoques
c) des tortues de mer

Les réponses se trouvent page 160.

Le bord de mer

Angela Wilkes

QU'EST-CE QUE le bord de mer ?

Toutes les terres de notre planète
– continents ou îles – sont entourées
par des mers. Le bord de mer, ou côte est
le lieu où mer et la terre se rencontrent.
Son aspect varie suivant la nature des roches :
plages de sable ou de galets, mur
vertical de **falaises**, ou bien
empilements de rochers
sur lesquels viennent
se briser les vagues.

Le phaéton à brins rouges
pêche des poissons.

Étonnant

Les mers couvrent
les deux tiers de la planète.

Près des pôles, les côtes sont
couvertes d'une épaisse
couche de glace.

OÙ se cachent les habitants des côtes ?

Les côtes paraissent parfois inhabitées, et pourtant elles abritent une multitude d'animaux que l'on ne remarque pas toujours à première vue. Dans les trous des falaises se dissimulent les nids de certains oiseaux de mer, tandis que les moules et les oursins se distinguent à peine des rochers auxquels ils sont fixés. La bande perpétuellement mouillée en bordure des vagues paraît vide, mais il suffit de creuser le sable ou la vase pour découvrir vers, petits coquillages et crevettes. Quant aux crabes, petits et gros, ils sont partout !

POURQUOI les côtes changent-elles de forme ?

Le dessin des côtes n'est pas fixé pour toujours, mais est remodelé par l'érosion : les vagues creusent les falaises et arrachent aux rochers de minuscules particules, qui se déposent à d'autres endroits de la côte, là où les eaux sont calmes. Les dépôts s'accumulent aussi à l'embouchure des fleuves.

Maintenant, je sais que...

★ On appelle côte l'endroit où la mer et la terre se rejoignent.

★ Le dessin de la côte change perpétuellement.

★ Vers, coquillages et mollusques se cachent dans le sable mouillé.

POURQUOI les oiseaux de mer nichent-ils dans les falaises ?

De loin, les falaises ressemblent à un mur, mais en réalité, elles sont pourvues de **corniches** où des oiseaux de mer viennent pondre. Ils ont ainsi directement accès à leurs lieux de pêche et ont peu de distance à parcourir pour venir nourrir leurs jeunes. En même temps, leurs nids sont hors de portée des renards et des rats. Les nids des mouettes sont faits d'algues et de boue.

Étonnant !

Les guillemots pondent sur des corniches larges de quelques centimètres !

Le pygargue américain bâtit des nids pesant jusqu'à 2 tonnes !

Les goélands argentés se nourrissent de poissons, de crabes et de mollusques. Quand ils reviennent au nid, leurs petits viennent frapper sur la tache rouge de leur bec : à ce signal, les parents régurgitent dans leur gosier une partie de ce qu'ils ont avalé.

Goéland argenté nourrissant son oisillon

OÙ pondent les macareux ?

Au printemps, les macareux-moines pondent au sommet des falaises. Ils déposent leur œuf unique dans des trous qu'ils creusent avec leur large bec, ou bien dans un terrier de lapin abandonné. L'œuf sera couvé pendant environ sept semaines, et il faudra encore six semaines après l'éclosion pour que le jeune macareux soit capable de prendre son envol. Parents et enfants passent ensuite l'hiver en haute mer.

Goéland argenté

Macareux

Fous de Bassan

Mouettes tridactyles

Maintenant, je sais que...

★ Les oiseaux de mer pondent sur les corniches des falaises.

★ Les goélands régurgitent de la nourriture dans le gosier de leurs jeunes.

★ Le macareux pond parfois dans le terrier d'un lapin.

117

QU'EST-CE QU'UNE dune ?

★ Cherche et trouve ★
le pois de mer

Sur les plages les moins abritées, le sable, balayé par le vent, finit par s'accumuler autour des touffes de plantes coriaces qui ne craignent ni le sel ni la sécheresse. Les monticules qui se forment ainsi sont appelés dunes. Le vent transporte aussi des graines et quelques plantes se développent, fixant le sable. Peu à peu se forme une mince couche de sol, et les plantes se multiplient.

Souci

Pavot cornu

Criquet

QUELLES plantes poussent sur les dunes ?

Pour résister au soleil et à l'air chargé de sel, les plantes doivent avoir des tiges coriaces et être peu gourmandes en eau. Beaucoup sont basses ou rampantes, avec des racines profondes qui les maintiennent solidement dans ce sol peu stable. Leurs feuilles sont charnues et recouvertes d'un enduit cireux imperméable.

Lotier des marais

QUI sont les habitants des dunes ?

Les herbes et autres plantes à fleurs des dunes attirent un grand nombre d'insectes, en particulier des sauterelles et des papillons. Les lézards et les oiseaux viennent y chasser les insectes pendant le jour, tandis que les lapins, les crapauds, les souris ont plutôt une activité nocturne. Au matin, les traces laissées dans le sable révèlent l'identité des visiteurs.

Le renard et ses renardeaux explorent les dunes au crépuscule pour y chasser lapins et souris.

Étonnant !

L'oyat pousse plus vite s'il est enterré dans le sable !

Sans les plantes qui fixent le sable, les dunes se déplaceraient sans cesse et changeraient de forme !

Les papillons sont attirés par les plantes à fleurs des dunes.

Grand-nacré

Oyat　　　**Asclépiade**

Maintenant, je sais que...

★ Les dunes sont des collines de sable.

★ Les plantes poussant sur les dunes doivent supporter la sécheresse et le sel.

★ Les dunes ont des habitants : insectes, crapauds, lapins...

COMMENT la méduse vient-elle s'échouer sur la plage ?

Cherche et trouve ★ la coque

Deux fois par jour, la mer avance avec le **flux** pour atteindre son niveau maximum à marée haute. Puis commence le **reflux** (recul) des eaux : en se retirant, la mer abandonne sur le rivage des débris roulés par les vagues, ainsi que des algues. Après une tempête, il arrive que des méduses soient rejetées sur la plage : on dit qu'elles sont **échouées**.

ÉTONNANT !

Les noix du palmier appelé coco de mer flottent, et elles peuvent ainsi parcourir des milliers de kilomètres !

Les plus hautes marées ont été enregistrées dans la baie de Fundy, au Canada : le niveau de l'eau s'est élevé de 14 m !

Goélands argentés

Fucus vésiculeux

D'OÙ viennent les coquillages ?

Les coquillages vides que l'on peut ramasser sur la plage ont servi de maison à des petits mollusques. Certaines de ces coquilles sont d'une seule pièce, comme celle du bigorneau. D'autres, comme la moule ou la coque, sont en deux parties (ou valves), réunies par une charnière : on dit que ce sont des bivalves.

QUE peut-on trouver sur la plage ?

À marée basse, on peut ramasser des coquillages, des crevettes, des étoiles de mer et des morceaux de bois flotté, qui viennent peut-être de bateaux qui ont fait naufrage. Si par hasard des méduses sont venues s'y échouer, il faut prendre garde à ne pas les toucher car leur contact provoque des brûlures.

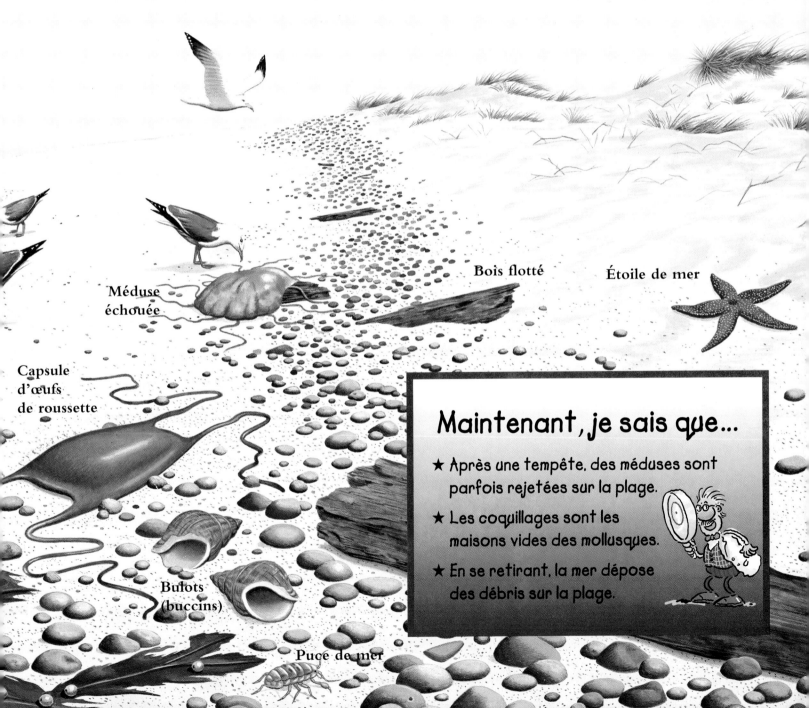

Méduse échouée

Capsule d'œufs de roussette

Bois flotté

Étoile de mer

Bulots (buccins)

Puce de mer

Maintenant, je sais que...

★ Après une tempête, des méduses sont parfois rejetées sur la plage.

★ Les coquillages sont les maisons vides des mollusques.

★ En se retirant, la mer dépose des débris sur la plage.

POURQUOI les mollusques s'enfouissent-ils dans le sable ?

Le sable qui se trouve à la limite des vagues est toujours frais et humide, même sous les soleils les plus brûlants. Des vers marins et d'autres petits mollusques s'y creusent un abri : on les appelle **arénicoles,** ce qui signifie habitants du sable.

QUE mangent les mollusques arénicoles ?

Les mollusques qui vivent dans le sable ne s'enfouissent pas complètement : ils restent en contact avec la surface et aspirent l'eau de mer pour filtrer les particules en suspension. Les vers, eux, mangent le sable pour récupérer ses éléments nutritifs, puis ils le rejettent en petits tortillons qui parsèment la surface.

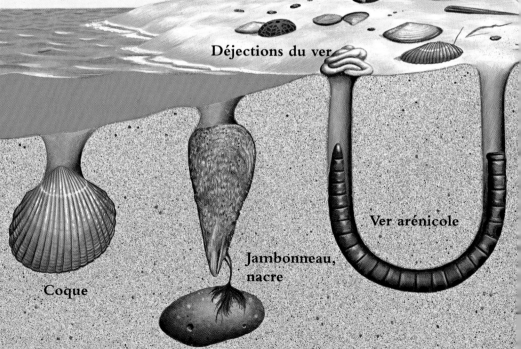

Déjections du ver

Dollar de sable

Coque

Jambonneau, nacre

Ver arénicole

OÙ vivent les oursins ?

Les oursins ne se contentent pas de se fixer au rocher, ils s'y creusent un abri en rongeant patiemment la pierre avec leurs mâchoires et la raclant avec leurs piquants, par un mouvement de rotation. Avec l'âge, les oursins grossissent, et il leur arrive de rester prisonniers de leur trou.

Étonnant !

Les solens, ou couteaux, peuvent enfouir la moitié de leur coquille en 1 seconde.

Un oursin est parvenu en vingt ans à faire un trou dans une poutrelle de métal.

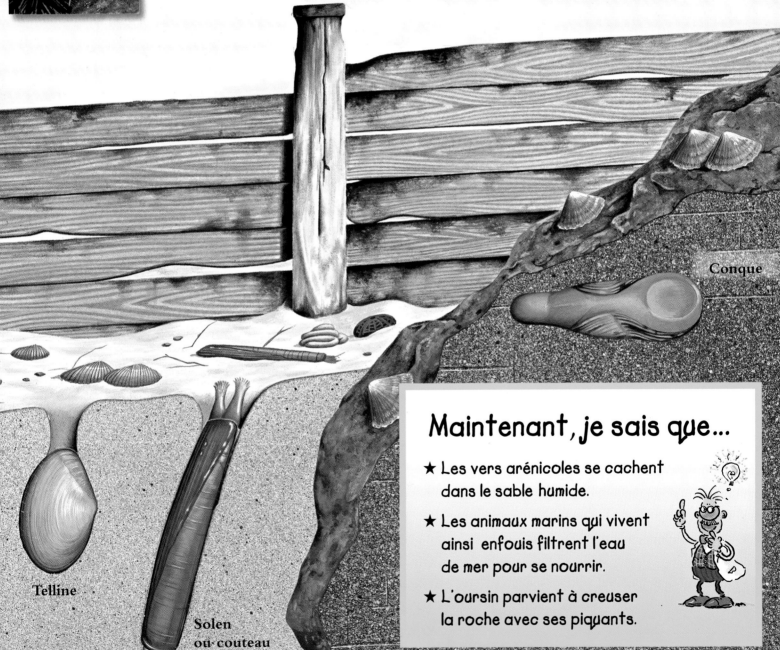

Conque

Telline

Solen ou couteau

Maintenant, je sais que...

★ Les vers arénicoles se cachent dans le sable humide.

★ Les animaux marins qui vivent ainsi enfouis filtrent l'eau de mer pour se nourrir.

★ L'oursin parvient à creuser la roche avec ses piquants.

QUEL EST le repas de l'huîtrier-pie ?

À marée basse, les huîtriers se précipitent sur le rivage pour faire leur repas de vers et de coquillages. Leur bec rouge, long et robuste, leur sert à détacher les coquillages du rocher, à les casser (en tapant dessus) ou bien à les ouvrir en séparant habilement les deux **valves,** exactement comme nous ouvrons les huîtres !

Le tournepierre à collier est ainsi appelé parce qu'il retourne adroitement les galets, pour attraper les petits mollusques et les crevettes qui se cachent dessous.

Huîtrier-pie

Étonnant !

Le bec de la barge rousse est doté de capteurs ultrasensibles, qui détectent la présence des vers et petits crustacés même s'ils sont profondément enterrés.

S'il sent que sa nichée est en danger, le pluvier fait semblant d'être blessé pour détourner l'attention de l'agresseur.

Cherche et trouve ★ l'anémone de mer

POURQUOI le courlis a-t-il un si long bec ?

Le courlis cendré, ou courlis à long bec, porte bien son nom ! Son bec est particulièrement bien adapté à son mode de vie : long et fin, légèrement recourbé, il est fait pour fouiller le sable du rivage et extirper les mollusques profondément enfouis. Les oiseaux à bec court, comme le pluvier, fouilleront la couche de sable superficielle. Ainsi, il n'y aura pas de véritable compétition entre eux.

OÙ pond le pluvier ?

Les pluviers vivent sur les côtes bordées de galets. Ils ne construisent pas de nid et se contentent de déposer leurs œufs dans un creux du sol. Mais leur protection est assurée par le camouflage : couleur de pierre et mouchetés, ils se confondent avec les galets. De plus, la femelle qui couve a elle aussi une robe « camouflée », si bien qu'on ne la remarque pas.

Courlis cendré

Mouette rieuse

Maintenant, je sais que...

★ L'huîtrier-pie se sert de son bec pour ouvrir les coquillages.

★ Le très long bec du courlis lui sert à fouiller la vase.

★ Les œufs du pluvier ont le même aspect que les galets qui les entourent.

QUI sont les habitants d'une flaque d'eau salée?

Sous la surface des petites mares d'eau salée s'agite tout un zoo marin. Mollusques et crustacés se fixent aux rochers ou se cachent derrière les algues flottantes, guettés par la vorace étoile de mer. On y trouve aussi des poissons spécifiques, comme la blennie.

L'étoile de mer a glissé l'un de ses bras entre les valves d'un coquillage.

1 Anémone de mer
2 Étoile de mer
3 Blennie
4 Patelle
5 Bernard-l'ermite
6 Limace de mer
7 Oursin
8 Moules

POURQUOI se fixent-ils aux rochers ?

Les petits organismes marins doivent pouvoir se fixer aux rochers pour résister aux vagues. Les patelles s'arriment solidement au moyen de leur pied ventouse, mais peuvent cependant se déplacer. Les moules s'attachent en grappes par des fils de **byssus**. Le crustacé appelé balane est fixé à la roche pour le reste de sa vie

COMMENT se déplacent les oursins ?

Hérissée d'épines, la carapace des oursins est percée de trous qui laissent passer de petits tubes munis d'une ventouse à leur extrémité. Cela leur permet de se déplacer pour racler avec leurs dents robustes la croûte d'algues qui tapisse les rochers.

Étonnant !

Les oursins se couvrent parfois d'algues et de vieilles coquilles pour échapper à leur ennemie héréditaire l'étoile de mer.

La balane filtre l'eau de mer qu'elle agite avec ses cirres (tentacules).

Maintenant, je sais que...

★ L'étoile de mer mange coquillages et oursins.

★ La patelle se fixe au rocher par un solide pied-ventouse.

★ L'oursin racle la croûte d'algues avec ses dents.

POURQUOI les crustacés ont-ils des pinces ?

Crabe, homard, langouste, langoustine, crevette sont des crustacés. Leurs pattes antérieures portent des pinces qui sont à la fois des outils et des armes. Chez le homard, ces pinces sont asymétriques : la plus grosse lui sert à broyer la coquille des mollusques, la plus petite à déchiqueter la chair des poissons.

Pinces levées, ce crabe est en position de défense, prêt à riposter aux agressions.

QUELLES pattes utilisent les crevettes ?

Les crevettes se servent des pinces de leurs deux premières paires de pattes avant pour manger. Elles détectent leur nourriture (des cadavres de poissons, des vers, du plancton) grâce à leurs fines antennes aussi longues que leur corps. Pour nager, elles utilisent leurs pattes arrière plumeuses comme des avirons.

Crevette grise

OÙ vivent les langoustines ?

Les langoustines vivent sur la vase des fonds marins, jusqu'à 20 m de profondeur. Elles se creusent des terriers où elles passent la plus grande partie de la journée, ne sortant qu'à l'aube et à la tombée de la nuit pour chasser. Elles mangent à peu près tout ce qu'elles trouvent, y compris de cadavres d'autres animaux.

Langoustine

Étonnant !

Juste après sa mue, le homard mange sa vieille carapace. Sans doute pour couvrir ses besoins en calcium.

Le bernard-l'ermite, petit crabe à carapace molle, s'installe dans une coquille vide. Il en change quand il grandit !

Maintenant, je sais que...

★ Les antennes des crustacés leur servent à détecter des proies.

★ Les crevettes nagent avec leurs pattes arrière.

★ Le homard a une pince plus grosse que l'autre.

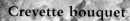

Crevette bouquet

129

QUIZ BORD DE MER

Maintenant, que sais-tu sur ses habitants ?
Amuse-toi à répondre à ces questions.

1 À quel rythme revient la marée haute ?
- a) une fois par semaine
- b) une fois par jour
- c) deux fois par jour

2 Quelle surface couvrent les mers ?
- a) les deux-tiers du globe
- b) les neuf-dizièmes
- c) un quart environ

3 Quel animal reste fixé à vie sur son rocher ?
- a) l'étoile de mer
- b) la balane
- c) l'oursin

4 Quel sorte d'animal est l'huîtrier ?
- a) un coquillage
- b) un crabe
- c) un oiseau

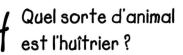

5 Dans quel type de sol pousse l'oyat ?
- a) dans la vase
- b) dans les trous des rochers
- c) dans les dunes de sable

6 Où vit le crustacé appelé bernard-l'ermite ?
- a) dans une coquille vide
- b) dans le sable
- c) dans une anémone de mer

7 Quelle est l'origine d'un récif corallien ?
- a) une éruption volcanique
- b) des sécrétions animales
- c) des algues fossiles

8 Où trouve-t-on les œufs du pluvier ?
- a) au milieu des galets
- b) enfouis dans le sable
- c) sous les amas d'algues

9 Où enregistre-t-on les plus hautes marées ?
- a) en Bretagne
- b) au Canada
- c) à Tahiti

10 Que devient la vieille carapace du homard ?
- a) elle abrite un crabe
- b) il la mange
- c) elle se dissout dans l'eau

Les réponses se trouvent page 160.

La forêt équatoriale

Angela Wilkes

QU'EST-CE QUE la forêt équatoriale ?

On appelle forêt équatoriale, ou encore forêt vierge ou jungle, la forêt toujours verte qui pousse sous les climats très chauds et humides. La végétation y est **luxuriante** : les arbres immenses forment une masse presque impénétrable car ils sont réunis par des lianes et toutes sortes de plantes grimpantes.

Gibbon

POURQUOI les arbres sont-ils si hauts ?

Les plantes ont besoin pour pousser de chaleur, d'eau et de lumière. Ici, la végétation est si épaisse que le sous-bois est sombre. Les arbres lancent leurs branches vers le haut, formant une voûte verte, ou **canopée,** à 50 m du sol. Des arbres géants, les **émergents**, se dressent au-dessus de ce toit vert.

Curieusement, beaucoup d'animaux nains vivent au pays des arbres géants !

Caméléon nain

La dendrobate est une grenouille venimeuse qui vit dans les arbres.

Ara macaon

Toucan

La forêt équatoriale est le domaine des oiseaux aux couleurs féeriques.

Étonnant !

Plus de la moitié des espèces connues de plantes et d'animaux vit dans la forêt équatoriale.

La forêt équatoriale est comme une gigantesque éponge capable d'absorber 10 m de pluie par an !

QUELS animaux vivent dans la forêt équatoriale ?

La forêt équatoriale abrite une extraordinaire variété d'animaux, qui se partagent les différents étages de la végétation, depuis le sol gorgé d'eau, sombre et humide, au sommet qui reçoit le soleil toute l'année. La compétition y est si intense que beaucoup d'espèces sont venimeuses : c'est une arme aussi efficace que les griffes ou les dents !

Papillons morpho

Fourmis-parasol coupeuses de feuilles

Maintenant, je sais que...

★ La forêt équatoriale est la végétation naturelle des climats chauds et humides,

★ La voûte formée par les branches des arbres s'appelle la canopée.

★ Des animaux vivent à tous les étages de la forêt équatoriale.

133

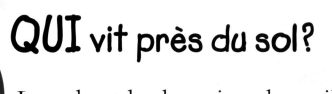

QUI vit près du sol?

Le sol est le domaine des mille-pattes et des insectes. C'est à peine si les rayons du soleil y filtrent du fait de l'épaisseur des feuillages. Dans cette atmosphère sombre et étouffante, des petits rongeurs ou des cerfs nains fouillent la litière de végétaux en décomposition, et des serpents se glissent sous les feuilles.

À QUOI servent les contreforts?

Pour renforcer leur stabilité, les arbres développent des contreforts, qui s'évasent largement, formant des compartiments, à la base du tronc.

Dendrobate

Fourmis légionnaires

Tapir

Étonnant!

Le prédateur le plus féroce est peut-être la fourmi légionnaire, qui marche par colonnes de 150 000 ou plus et détruit tout sur son passage!

Le sol est si gorgé d'eau qu'on y trouve même des petits poissons.

Tarentule

OÙ rôde le jaguar ?

Le jaguar est le plus gros prédateur d'Amérique. Il rôde sous le couvert de la forêt où sa robe tachetée lui fournit un bon camouflage. Cet excellent nageur est, avec le tigre, le seul félin qui aime l'eau au point de prendre des bains par plaisir ! Il lui arrive d'ailleurs d'attaquer des crocodiles. Mais c'est aussi un excellent grimpeur qui n'hésite pas à poursuivre les singes dans les arbres.

Vice-roi

Balisier

Jaguar

Dendrobate

Maintenant, je sais que...

★ Les fourmis légionnaires détruisent tout sur leur passage.

★ Les arbres ont des contreforts, qui assurent leur stabilité.

★ Le jaguar est le plus gros prédateur d'Amérique.

QU'EST-CE QU'UNE liane ?

★ Cherche et trouve ★

la cigale

Dans la forêt équatoriale se déroule une véritable course à la lumière. Les lianes, incapables d'atteindre la canopée par leurs propres moyens s'enroulent autour des troncs au moyen de crochets et de vrilles. Elles lancent ensuite vers le sol de longues racines aériennes semblables à des cordes.

Vipère de Schlegel

QUELLE liane a des feuilles toxiques ?

Liane

Les feuilles de la passiflore sont toxiques, sauf pour l'héliconide : non seulement ce papillon peut manger ces feuilles sans être gêné, mais il leur emprunte leur poison. En effet, il devient lui-même vénéneux et les prédateurs, qui le savent, l'évitent.

Héliconide melpomène

Heliconia

Passiflore ou fleur de la Passion

Dendrobate

Étonnant !

L'« oreille d'éléphant » a des feuilles assez grandes pour servir de lit à un enfant !

Le figuier étrangleur se développe en parasite sur un autre arbre qu'il étouffe, et qui lui sert ensuite d'engrais.

POURQUOI les feuilles sont-elles si grandes ?

Il fait si sombre dans le sous-bois que la transformation de la lumière en énergie serait insuffisante avec des feuilles de taille normale. Les feuilles sont donc plus grandes avec une surface vernie qui les rend imperméables et les empêche de pourrir.

Figuier étrangleur

Philodendron

Aka
fer-de-lance

Phylloméduse
aux yeux rouges

Maintenant, je sais que...

★ Les lianes sont des plantes qui s'enroulent autour des arbres.

★ La passiflore a des feuilles toxiques.

★ Le figuier-étrangleur s'installe à la place d'un arbre qu'il étouffe.

137

QUI vit au sommet des arbres ?

Les oiseaux et les singes vivent à l'étage
le plus élevé de la canopée, qui retentit
de leurs cris et de leurs chants. Le soleil
y brille et il y a des fruits et des graines en abondance.
Mais nul n'est à l'abri des attaques des serpents,
qui se glissent silencieusement jusque-là.

Boa-émeraude

Tamandua

OÙ nichent les cassiques ?

Les cassiques sont des passereaux.
Ils construisent des nids qui se balancent
au vent et font irrésistiblement penser
à un ballon dans un filet. Ce sont
les femelles qui les confectionnent
en entrelaçant de longues herbes.

Étonnant !

Le sommet de certains arbres est aussi
grand qu'un stade de football.

Les cassiques accrochent leurs nids
près de nids des guêpes,
pour éloigner les prédateurs.

138

Harpie
féroce

Toucan

Atèles

COMMENT
les singes-araignées grimpent-ils aux arbres ?

Outre leurs mains et leurs pieds, les atèles
ou singes-araignées ont une longue queue
préhensile, munie d'un coussin antidérapant
qui s'enroule autour des branches.
Ils peuvent ainsi se balancer dans les airs
tout en épluchant un fruit et en se grattant !

Paresseux

Colibri

Maintenant, je sais que...

★ C'est au sommet des arbres que
la nourriture est la plus abondante.

★ Les cassiques accrochent
aux arbres des nids
qui se balancent au vent.

★ Les atèles sont aussi
appelés singes-araignées.

139

QU'EST-CE QU'UNE
plante épiphyte?

Très haut au-dessus du sol, les arbres de la forêt équatoriale, couverts de plantes et de fleurs, prennent des airs de jardins suspendus : il s'agit d'épiphytes, c'est-à-dire de plantes qui se développent sur d'autres végétaux. Cet état d'épiphyte est une obligation pour les plantes de petite taille, qui ne trouvent pas assez de lumière pour survivre à l'étage inférieur.

Étonnant!

Les plus grosses des broméliacées peuvent contenir plusieurs litres d'eau!

On a recensé plus de 28 000 espèces différentes d'épiphytes sur les arbres des forêts équatoriales!

Les somptueuses orchidées sont elles aussi des épiphytes. Elles se développent sur les mousses ou sur les petites plaques d'humus à la fourche des branches.

COMMENT
les plantes épiphytes se procurent-elles de l'eau ?

Les épiphytes ne peuvent puiser d'eau dans le sol, mais ont trouvé d'autres solutions. Certaines de ces plantes développent des sortes de racines spongieuses qui pendent sous les branches et absorbent l'humidité de l'air. Les broméliacées ont des feuilles imbriquées les unes dans les autres qui forment un cornet et servent à stocker l'eau.

OÙ se baignent les grenouilles arboricoles ?

Aux heures les plus chaudes de la journée, les grenouilles arboricoles de la forêt équatoriale se rafraîchissent dans l'eau de pluie collectée par les plantes épiphytes. Certains de ces mini-bassins sont assez larges et profonds pour que les grenouilles y élèvent leurs têtards.

Maintenant, je sais que...

★ Certaines orchidées sont des plantes épiphytes.

★ Certaines épiphytes ont des réserves d'eau accessibles aux petits animaux arboricoles.

★ Les épiphytes occupent souvent les fourches des branches.

QUE mangent les colibris?

Les colibris, si petits qu'on les appelle oiseaux-mouches, se nourrissent de **nectar**, liquide sucré distillé par les fleurs. Le colibri se tient devant la fleur en faisant du surplace comme un hélicoptère (ses ailes battent 90 fois par seconde) et il peut introduire son long bec dans la corolle.

★ Cherche et trouve ★

la chenille

Étonnant!

La rafflésie, plus grosse fleur du monde (1 m de diamètre), a une odeur de viande pourrie.

Les orchidées coryanthes droguent les abeilles, les faisant tomber dans un tube tapissé de pollen, qu'elles doivent traverser pour repartir.

Orchidée

COMMENT les abeilles aident-elles les orchidées?

Les abeilles de la forêt équatoriale collectent nectar et **pollen** pour faire leur miel. Elles transportent ainsi le pollen des fleurs mâles vers les fleurs femelles.

COMMENT les plantes carnivores capturent-elles les insectes ?

Les sarracénies sont des plantes carnivores qui capturent des insectes dans leurs pièges ressemblant à des pichets à demi pleins de liquide, dont le col est enduit d'un alléchant nectar. Dès qu'il se pose, l'insecte glisse et est entraîné dans le liquide, où il se noie.

Sarracénie

Papillon danaïde

Abeille tropicale

Maintenant, je sais que...

★ Les colibris se nourrissent de nectar, un liquide sucré fabriqué par les fleurs.

★ Les insectes butineurs pollinisent les orchidées.

★ Les sarracénies prennent au piège des insectes et les noient.

143

POURQUOI les caméléons changent-ils de couleur ?

Les caméléons sont des lézards arboricoles de la forêt équatoriale. Pour que les insectes dont ils se nourrissent s'approchent sans méfiance, ils se rendent invisibles en prenant la couleur et l'aspect de ce qui les entoure. Ils n'ont plus alors qu'à projeter vers les imprudents leur langue gluante, aussi longue que leur corps.

Étonnant !

Les caméléons ont des yeux indépendants l'un de l'autre et peuvent regarder dans deux directions à la fois !

Les Indiens d'Amazonie empoisonnent leurs flèches en les trempant dans le venin des grenouilles dendrobates.

QUELLES grenouilles ont les couleurs les plus éclatantes ?

Les grenouilles aux couleurs les plus éclatantes sont celles de la forêt amazonienne, qui sont très venimeuses : ces couleurs vives servent à avertir les prédateurs du danger, en particulier les serpents.

Dendrobate

Caméléon camouflé

La langue du caméléon… interminable

Python réticulé

COMMENT chasse le python réticulé ?

Le python réticulé chasse à l'affût, se tenant immobile, invisible au milieu des feuilles mortes qui jonchent le sol, car il a exactement les mêmes couleurs. C'est ainsi qu'il peut attraper des petits animaux qu'il étouffe avant de les avaler tout entiers.

Maintenant, je sais que…

★ Le caméléon change de couleur pour tromper ses proies.

★ Les grenouilles venimeuses ont des couleurs plus vives.

★ Les écailles du python réticulé ont la couleur des feuilles mortes.

145

POURQUOI faut-il
préserver la forêt équatoriale ?

La forêt équatoriale abrite des plantes et des animaux qui ne vivent nulle part ailleurs. Des denrées qui sont aujourd'hui communes, comme le café, le cacao et le caoutchouc, viennent de la forêt équatoriale, qui fournit également des plantes servant à la fabrication de médicaments indispensables. Enfin, les forêts équatoriales sont un élément de régulation du climat, et leur disparition pourrait avoir des conséquences désastreuses.

Tamarins-lions

Papillon morpho

QUELLES espèces sont en danger ?

Les animaux les plus menacés sont ceux dont l'habitat est détruit, des plus minuscules insectes aux gorilles de la forêt africaine, ou ceux qui sont traqués par les chasseurs hors-la-loi parce qu'ils ont une valeur commerciale. Le tamarin-lion est ainsi devenu si rare que l'espèce est en voie d'extinction.

Étonnant !

Chaque année, 15 à 20 millions d'animaux sont capturés dans la forêt amazonienne et vendus comme animaux d'agrément ! Un vrai trafic !

Chaque année disparaît une étendue de forêt d'une superficie égale à celle de la Californie.

Cherche et trouve ★ le basilic

146

QUI détruit la forêt équatoriale ?

La forêt équatoriale est détruite, à la fois par ignorance et par appât du gain, par ceux qui préfèrent un profit rapide à la préservation durable de l'environnement. La forêt est remplacée par de grandes exploitations agricoles. Le résultat est que la terre devient stérile au bout de quelques années et que les défrichements reprennent.

Coati

Dendrobate

Maintenant, je sais que...

★ Certains de nos médicaments viennent des plantes de la forêt équatoriale.

★ Des animaux sont arrachés à leur milieu naturel pour être vendus, car ils sont à la mode.

★ La forêt est nécessaire à l'équilibre climatique.

QUIZ FORÊT ÉQUATORIALE

Maintenant, que sais-tu sur ses habitants ?
Amuse-toi à répondre à ces questions.

1 Où trouve-t-on des forêts équatoriales ?
a) dans les régions froides
b) près des tropiques
c) dans les régions sèches

2 Combien existe-t-il d'épiphytes ?
a) une centaine
b) un peu plus de mille
c) plus de 20 000

3 Quelle plante a des feuilles vénéneuses ?
a) le figuier étrangleur
b) le philodendron
c) la passiflore

4 De quoi se régalent les singes araignées ?
a) de noix
b) de fruits
c) de racines

5 Quel animal change de couleur ?
a) le caméléon
b) la dendrobate
c) le tapir

6 Quelle sorte d'animal est la dendrobate ?
a) un lézard
b) un oiseau
c) une grenouille

7 Où se cache le python réticulé ?
a) au sommet des arbres
b) sous l'eau
c) dans les feuilles mortes

8 Où vivent les caméléons ?
a) sur le sol
b) dans les arbres
c) dans les mares

9 Quelle est la plus grosse fleur du monde ?
a) une orchidée
b) la passiflore
c) la rafflésie

10 Qu'est-ce qu'une sarracénie ?
a) une grenouille
b) une plante
c) un papillon

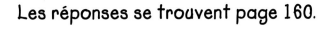

Les réponses se trouvent page 160.

GLOSSAIRE

Abdomen Partie du corps qui contient les organes de la digestion (estomac, intestin) et de la reproduction. C'est là que sont formés et stockés les œufs. Chez les insectes, c'est le segment du corps opposé à la tête.

Affût Méthode de chasse qui est le contraire de la poursuite. L'animal chassant à l'affût se tient caché, guettant le passage de sa proie pour sauter dessus.

Alevins Très jeunes poissons. Les alevins provenant d'élevages sont destinés à repeupler les étangs et les rivières.

Allaiter Nourrir ses petits avec le lait de ses mamelles, comme le font les mammifères.

Antennes Filaments plus ou moins longs, mobiles ou orientables, qui sont fixés sur la tête des invertébrés. Les antennes contiennent des capteurs sensoriels : l'animal s'en sert pour toucher, entendre, détecter la nourriture…

Appât Aliment dont un animal est friand, utilisé pour mieux l'attirer et le capturer : le ver qui cache l'hameçon du pêcheur est un appât, tout comme le fromage de la souricière. L'appât peut aussi être un leurre (c'est-à-dire une tromperie, une imitation).

Arachnides Groupe d'invertébrés à huit pattes, comprenant les araignées et les scorpions.

Arénicole Se dit d'un animal ou d'un organisme vivant dans le sable.

Autotomie Mécanisme de défense, consistant à s'amputer volontairement d'une partie du corps (membre ou queue) pour échapper à un prédateur.

Banc Se dit d'un ensemble de poissons vivant et se déplaçant serrés les uns contre les autres. Les bateaux de pêche recherchent les bancs de sardines ou de harengs.

Banquise Épaisse couche de glace qui couvre la mer dans les régions polaires.

Branchies Organes respiratoires des poissons ou des larves d'autres animaux se développant pour un temps dans l'eau (comme les têtards des grenouilles). Les branchies sont constituées de feuillets très riches en vaisseaux sanguins et dont la peau très fine permet les échanges respiratoires. Quand l'eau traverse les branchies, l'oxygène qu'elle contient passe dans le sang.

Broméliacées Plantes dont les feuilles charnues se recouvrent en partie pour former une coupe qui sert de réserve d'eau.

Byssus Masse de fils au moyen desquels certains coquillages (comme les moules) s'attachent entre eux et se fixent aux rochers.

Camouflage Procédé qui permet à un animal de devenir presque invisible parce qu'il se confond avec le milieu ambiant.

Canopée La partie supérieure des arbres de la forêt tropicale humide, constituée par la masse des branchages, par opposition aux troncs. Vue de dessus, la canopée forme une couverture verte continue. Vue du sol, elle est comme un toit qui intercepte la lumière.

Carnivores Animaux qui se nourrissent exclusivement ou essentiellement de la chair d'autres espèces, par opposition aux herbivores (qui se nourrissent de végétaux) ou aux omnivores (qui ont un régime mixte).

Cartilage Matière souple et résistante constituant certaines parties du squelette (comme l'oreille et la partie inférieure du nez). Les requins et les raies ont un squelette entièrement cartilagineux.

Caudal(e) Qui concerne la queue. Chez les poissons, on appelle nageoire caudale la nageoire qui se trouve à l'extrémité du corps. La nageoire caudale (on dit aussi la caudale) aide à la propulsion et joue souvent le rôle de gouvernail.

Cervidés Mammifères ruminants apparentés aux cerfs, dont les mâles portent généralement des bois sur la tête.

Charognards Se dit des animaux carnivores qui ne capturent pas leurs proies, mais se nourrissent de cadavres. Les charognards suivent souvent les prédateurs pour profiter de leurs restes.

Chrysalide Stade de la métamorphose d'un insecte, intermédiaire entre la larve et la forme finale ; la chrysalide a une vie ralentie et est souvent enfermée dans une enveloppe qu'elle a tissée (cocon).

Coléoptères L'un des plus importants groupes d'insectes, qui compte au moins 300 000 espèces, parmi lesquelles les coccinelles et les hannetons. Les coléoptères ont deux paires d'ailes : celles qui servent au vol sont fines et se replient au repos sous les ailes de la deuxième paire qui forment des étuis protecteurs rigides, les élytres.

Colonies Groupes d'animaux vivant en collectivité en un même lieu, comme les fourmis, les abeilles ou les coraux.

Colonne vertébrale Axe central du squelette, sur lequel sont fixés la cage thoracique (les côtes) et les membres. L'apparition de cet axe, qui donne de la rigidité au corps et permet une meilleure autonomie de mouvement, est une étape importante de l'évolution.

Commensalisme Relation entre deux espèces animales dont l'une est utile à l'autre.

Composés (yeux) Se dit des yeux à facettes des insectes, qui n'ont pas un cristallin unique comme nous, mais une multitude de lentilles juxtaposées. L'image ainsi perçue est un assemblage des images partielles transmises par chacune des facettes.

Corail, récifs de Constructions formées par l'entassement des squelettes externes calcaires de petits invertébrés, qui filtrent l'eau de mer pour se nourrir. Les coraux ne peuvent se développer que dans des eaux non polluées.

Coriace Dur et résistant, ne se laissant pas facilement déchirer ou fragmenter.

Corniche Petit rebord en forme de marche au flanc d'une pente raide ou d'une falaise.

Courants Mouvements d'une masse fluide (gaz ou liquide). L'atmosphère et les océans sont en permanence parcourus par des courants, qui jouent un rôle important dans les climats.

Couver, couvaison
Pour que les embryons se développent, certains œufs doivent être protégés du froid et gardés à température égale. Les parents les tiennent au chaud en s'asseyant dessus : on dit alors qu'ils couvent.

Écholocation Système un peu analogue au sonar utilisé par les chauves-souris et les dauphins pour se diriger. Il s'agit d'ondes sonores qui reviennent dès qu'elles rencontrent un obstacle. Le délai entre l'émission de l'onde et son retour indique à quelle distance se trouve l'obstacle en question.

Échoué(e) Laissé(e) sur le rivage quand un courant marin se retire. Se dit de débris, objets, navires ou animaux. S'ils sont près du bord, ils pourront se **renflouer** au retour de la marée haute.

Émergents Arbres géants de la forêt équatoriale qui dépassent du toit de la canopée.

Espèce Catégorie regroupant des organismes vivants ayant un maximum de caractères communs et pouvant se reproduire entre eux : l'homme est une espèce animale.

Estuaires Embouchures élargies des fleuves où pénètre la mer. Les espèces vivant dans les estuaires doivent supporter l'eau douce comme l'eau salée.

Évent Orifice respiratoire des mammifères marins (baleines et dauphins…). Situé sur le haut de la tête, il leur permet de rester presque entièrement immergés.

Exosquelette Squelette externe qui soutient le corps d'un invertébré. L'exosquelette des insectes est fait d'une matière cornée appelée chitine.

Exuvie Vieille peau abandonnée par un animal qui vient de muer.

Falaise Escarpement en à-pic au-dessus de la mer, généralement fait de roches

calcaires. Les falaises bordant les côtes de la Manche (Étretat, Douvres) sont célèbres.

Fanons Lames souples et orientables garnissant la bouche de certaines baleines. Très rapprochés, les fanons font office de passoire pour filtrer l'eau de mer et retenir les minuscules organismes constituant le plancton.

Félins Groupe de carnivores prédateurs comprenant le lion, le tigre, la panthère, le jaguar, le guépard, etc. Et aussi notre chat domestique.

Flux, reflux Mouvements de la marée : on appelle flux la marée montante, et reflux la marée descendante.

Fourrure Revêtement de poils du corps des mammifères qui les protège du froid. De nombreuses espèces sont menacées de disparition parce qu'elles sont chassées pour leur fourrure.

Habitat Milieu naturel dans lequel vivent plantes et animaux. Les forêts, les marais, les prairies sont des exemples d'habitats.

Herbivores Animaux se nourrissant uniquement d'organismes végétaux.

Hibernation État de vie ralentie et de sommeil léthargique qui permet à certaines espèces animales de supporter des conditions difficiles.

Krill Petits crustacés qui sont un composant du plancton animal.

Larve Premier stade du développement chez les espèces qui subissent des métamorphoses.

Livrée Robe d'un animal, définie par ses dessins et ses couleurs. La livrée peut changer selon les saisons.

Luxuriant(e) Se dit d'une végétation riche et abondante.

Mandibules Pièces buccales des insectes.

Mangrove Marais côtier des régions tropicales, à la végétation caractéristique à base de palétuviers.

Marsupiaux Groupe de mammifères (comprenant les kangourous et les koalas), dont les petits achèvent leur développement dans une poche.

Nocturnes Animaux qui chassent (et qui d'une manière générale sont actifs) la nuit. Ils dorment pendant le jour.

Oiseaux de proie
Se dit d'oiseaux prédateurs comme les rapaces, qui capturent des proies autres que les insectes.

Omnivores Se nourrissant à la fois de chair et de végétaux.

Opercule Disque osseux recouvrant les branchies.

Ovipares Se dit des animaux qui pondent des œufs dont l'embryon se développe après la ponte.

Métamorphose Passage d'un stade de développement à un autre, avec des transformations parfois spectaculaires (la chenille qui se métamorphose en papillon).

Migrations Voyages saisonniers accomplis par des animaux, seuls ou en groupe. Le but est de gagner des territoires plus riches en nourriture ou bien des lieux propices à l'élevage des jeunes.

Mimétisme Phénomène d'imitation qui permet à certains animaux de prendre l'aspect du milieu environnant. Quand cette imitation concerne la couleur, comme chez le caméléon, on l'appelle homochromie.

Mollusques Important groupe d'invertébrés, comprenant notamment les limaces, les escargots et tous les coquillages.

Monotrèmes Mammifères pondant des œufs mais allaitant néanmoins leurs petits (comme l'ornithorynque).

Mue Changement de peau ou de carapace.

Nageoires Elles sont au nombre de sept chez les poissons : caudale, anale, dorsale, pectorales (1 paire) et pelviennes (1 paire).

Nectar Liquide sucré, sécrété par les fleurs pour attirer les insectes qui transportent le pollen.

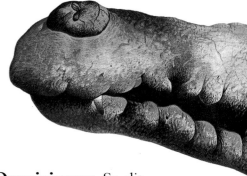

Ovovivipares Se dit des animaux qui se reproduisent par des œufs, mais chez qui le développement et l'éclosion ont entièrement lieu dans le corps de la mère.

Parade nuptiale Rituels de séduction auxquels se livre un animal (le plus souvent un mâle), afin de trouver un partenaire pour se reproduire.

154

Plancton Petits organismes
végétaux et animaux
en suspension dans l'eau
et constituant la nourriture
de nombreux poissons.

Prédateurs Espèces carnivores
qui capturent les animaux dont
ils se nourrissent (leurs proies).

Préhensile Capacité à saisir
et à s'agripper : la queue
des singes est préhensile.

Rongeurs Petits mammifères
dotés de robustes incisives, qu'ils
utilisent comme des râpes.

Ruminants Mammifères
dont le système digestif est
adapté à la consommation d'une
grande quantité d'aliments peu
nourrissants (herbe).

Sang froid, animaux à Se dit
d'animaux tels que les serpents,
dont la température corporelle

dépend de celle du milieu
extérieur. À l'inverse, oiseaux et
mammifères sont des **animaux
à sang chaud,** dotés
d'un mécanisme de régulation
de la température interne.

Serres Longues griffes acérées
des oiseaux de proie.

Symbiose On désigne ainsi
globalement toutes les formes
d'association durable entre
deux espèces animales différentes,
quand elles ne sont nuisibles
ni à l'une ni à l'autre.

Territoire Surface sur laquelle
un animal vit et chasse, et où
il ne tolère pas de rivaux.

Venin Poison fabriqué par un
animal pour se défendre ou tuer
ses proies. Serpents et araignées
injectent leur venin au moyen
de leurs crochets.

Vessie natatoire Sac interne
plus ou moins rempli d'air dont
sont dotés les poissons les plus
évolués. Il joue le rôle de flotteur
et leur permet de rester
immobiles entre deux eaux.

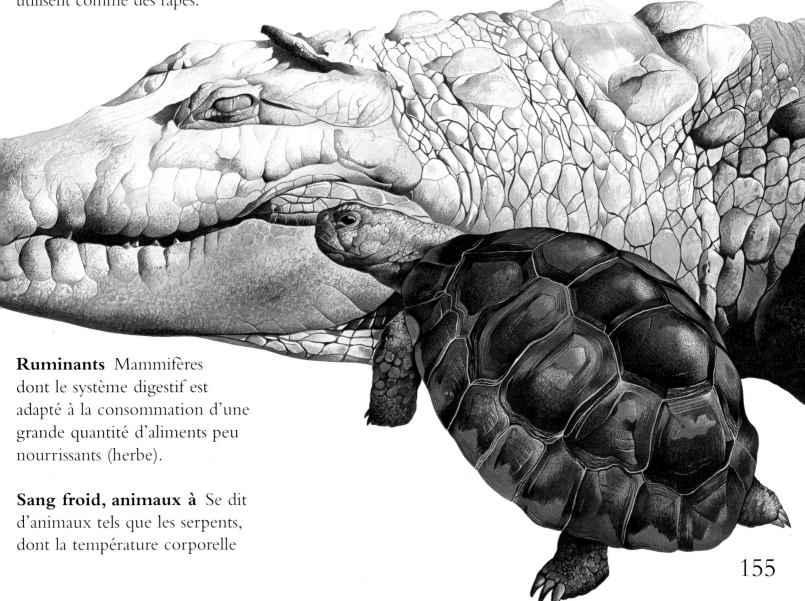

INDEX

SOLUTIONS DES QUIZ

Quiz Insectes (page 28) : 1c 2a 3b 4c 5a 6c 7a 8b 9b 10b
Quiz Mammifères (page 50) : 1b 2c 3b 4a 5c 6b 7c 8b 9a 10b
Quiz Reptiles (page 70) : 1b 2c 3b 4c 5c 6b 7b 8b 9b 10c
Quiz Oiseaux (page 90) : 1b 2a 3b 4b 5c 6c 7a 8b 9b 10b
Quiz Poissons (page 112) : 1b 2a 3b 4c 5a 6a 7b 8c 9c 10a
Quiz Bord de mer (page 130) : 1c 2a 3b 4c 5c 6a 7b 8a 9b 10b
Quiz Forêt équatoriale (page 148) : 1b 2c 3c 4b 5a 6c 7c 8b 9c 10b